D0795415

CLARA

DE LA MÊME AUTEURE

ADULTES

« Vente trottoir », dans *Histoires de… Récits radio-phoniques*, anthologie composée par Jean Barbe, Juliette Ruer et Éric Fourlanty, Leméac, 2007.

CAROLINE JODOIN

CLARA

TRÉCARRÉ
Une compagnie de Quebecor Media

Catalogage avant publication de Bibliothèque et Archives nationales du
Québec et Bibliothèque et Archives Canada

Jodoin, Caroline, 1971-
Bal des finissants : Clara
Pour les jeunes de 12 ans et plus.
ISBN 978-2-89568-438-1

I. Titre. II. Titre: Clara.

PS8619.O359B34 2009   jC843'.6   C2009-940207-6
PS9619.O359B34 2009

Édition : Miléna Stojanac
Révision linguistique : Nadine Tremblay
Correction d'épreuves : Marie-Ève Lefebvre
Couverture : Marike Paradis
Photo de l'arrière-plan (couverture) : *Peony Dreams* par Geishaboy500,
www.flickr.com/photos/geishaboy500/
Grille graphique intérieure : Marike Paradis
Mise en pages : Louise Durocher

Cet ouvrage est une œuvre de fiction ; toute ressemblance avec des personnes ou
des faits réels n'est que pure coïncidence. Entre autres, l'école secondaire Cœur-
Vaillant n'existe pas.

Remerciements
Les Éditions du Trécarré reconnaissent l'aide financière du gouvernement du
Canada par l'entremise du Programme d'aide au développement de l'industrie
de l'édition (PADIÉ) pour ses activités d'édition. Nous remercions le Conseil
des Arts du Canada et la Société de développement des entreprises culturelles
du Québec (SODEC) du soutien accordé à notre programme de publication.
Gouvernement du Québec – Programme de crédit d'impôt pour l'édition de
livres – gestion SODEC.

Les Éditions du Trécarré
Groupe Librex inc.
Une compagnie de Quebecor Media
La Tourelle
1055, boul. René-Lévesque Est
Bureau 800
Montréal (Québec) H2L 4S5
Tél. : 514 849-5259
Téléc. : 514 849-1388

Dépôt légal – Bibliothèque et Archives nationales du Québec
et Bibliothèque et Archives Canada, 2009

ISBN : 978-2-89568-438-1

Distribution au Canada
Messageries ADP
2315, rue de la Province
Longueuil (Québec) J4G 1G4
Téléphone : 450 640-1234
Sans frais : 1 800 771-3022

Diffusion hors Canada
Interforum
Immeuble Paryseine
3, allée de la Seine
94854 Ivry-sur-Seine Cedex
Tél. : 33 (0)1 49 59 10 10

★ À la mémoire de Fanfan la Terreur.

★ Merci, merci, merci!
À Miléna Stojanac pour sa confiance
et son professionnalisme ;
à François, Léa et Thomas pour leur complicité ;
à Sophie B. pour le coup de pied révélateur ;
à Claude et à Claudie pour les encouragements
et les commentaires trrrrrès constructifs.
À l'amourrrrrrrrrrrr !

À PROPOS DE *BAL DES FINISSANTS*

Il aura lieu le 20 juin prochain…

★ Clara, Mirabelle, Victor, Yulia… trois filles et un garçon qui terminent leur 5ᵉ secondaire. Chacun donne son nom au livre dont il est le héros. Chacun est un peu présent dans le livre des autres.

Ils fréquentent tous l'école secondaire Cœur-Vaillant, à Montréal. Ils sont tous invités à participer au même bal des finissants, dont le thème cette année est les années 1960.

Dans ces quatre romans, on découvrira les aventures et les catastrophes, les intrigues et les coups de théâtre, les bonheurs et les calamités, bref, tous les événements qui mènent à l'« événement » de l'année : le bal des finissants. Et même si chaque roman constitue un récit complet, on voudra lire les quatre afin de tout savoir sur ce qui s'est passé cette année au bal.

★ J'ai le droit de boire du café depuis seulement quelques semaines. C'est un privilège que m'a enfin accordé Grand-Théo, mon grand-père, quand j'ai eu mes dix-sept ans. Ça faisait plusieurs mois que je le talonnais pour qu'il m'en donne la permission. Parce que boire du café, pour moi, ça veut dire jouer dans la cour des grands. Ça veut dire passer des heures à jaser avec les copines. Ça veut dire philosopher, se poser de grandes questions et essayer d'y répondre (même si les réponses ne sont pas toujours intelligentes !). Ça veut dire se réchauffer le cœur quand il fait froid en dedans.

Sur le comptoir de la cuisine trône la superbe machine à expresso que je peux maintenant utiliser. Depuis mon anniversaire, tous les matins, je me prépare une boue noire très concentrée que je noie dans une mare de crème. Même s'il m'a donné sa bénédiction, Grand-Théo trouve que c'est une mauvaise habitude de boire du café tous les matins parce que blablabla la caféine et blablabla la dépendance et blablabla les dents jaunes… Mais comme je le lui ai expliqué cent fois, je ne fume pas, je ne bois pas, je n'ai pas l'intention de me droguer dans ma vie actuelle, je ne fréquente aucun garçon, je ne porte pas de vernis sur les ongles d'orteils, je ne dis pas de gros mots (euh… bon… parfois ils sortent tout seuls…), je rentre toujours à l'heure prévue, je n'ai pas le nombril percé, je vais nager à la piscine trois fois par semaine et je mange des légumes verts tous les jours. Alors, je considère que je peux boire une tasse de café par jour, car c'est mon seul défaut (ou presque).

Ce matin, c'est en chemise de nuit et en robe de chambre que je me prépare un arabica bien tassé. C'est un plaisir que je m'accorde presque toutes les fins de semaine : moi, toute seule dans la cuisine silencieuse, avec l'odeur du café frais et celle du pain grillé. Habituellement, Roger, mon chat un peu obèse (il pèse tout près de vingt kilos !), monte sur mes genoux pour se faire gratter le cou. Ce matin, par contre, il me boude. Probablement parce que je ne l'ai pas encore nourri. Il tourne autour de moi comme un goéland le ferait autour des poubelles dans l'arrière-cour d'un McDo. La tradition veut que je serve *monsieur* avant moi. C'est toujours son estomac qui passe avant le mien.

« Allez, gros matou, viens ici, qu'on te remplisse la panse. » C'est le ventre vide (le mien !) que je sers à *monsieur* une bonne portion de cannage pour félins. Une fois Roger le museau dans son écuelle, j'allonge la main sur le comptoir pour prendre mon bol de café… qui me glisse entre les mains. Merde ! Méchant dégât ! Décidément, mon estomac va devoir attendre encore quelques minutes…

* * *

— Tu t'es encore levée avec le coq ?

Grand-Théo est appuyé au cadre de la porte de la cuisine et me regarde tout en grattant machinalement les poils de son menton.

— Ça te surprend ?

— Ça me surprendra toujours.

— Encore aujourd'hui ? Mais tu sais que je suis matinale !

— C'est dimanche matin, Clara. C'est un matin pour faire la grasse matinée.

— Alors, retourne au lit et profites-en !

— Je parlais pour toi. Tu es debout depuis quelle heure ? Cinq heures trente ? Six heures ?

— Tu me connais. J'ankylose quand je reste à l'horizontale. Tu veux que je te prépare un petit café ?

— Une tasse de gadoue ? Non, merci. Je vais plutôt me faire couler une petite eau de vaisselle.

Grand-Théo et moi n'avons pas la même idée de ce qu'est un bon café. Alors que je l'aime bien corsé, grand-père préfère une version claire comme de l'eau. (C'est à se demander pourquoi il a fait l'achat d'une machine d'aussi bonne qualité !)

— Clara, pourquoi il y a une flaque de café derrière la machine ?

— Oups ! j'avais pas vu que ça s'était répandu jusque-là… J'ai renversé du café tantôt, mais je pensais avoir tout nettoyé…

— Pas grave, je m'en occupe.

Grand-Théo donne un coup de chiffon sur le comptoir avant de se préparer sa fameuse eau de vaisselle. Je suis un peu gaffeuse mais, heureusement, mon grand-père ne me le reproche jamais.

— À quoi ressemble ta journée d'aujourd'hui ? me demande-t-il tout en ébouriffant d'une main mes cheveux pleins de nœuds.

— Fred et Dom me kidnappent ce matin pour qu'on se tape des boutiques de vieux souliers rétro…

— Ça n'a pas l'air de t'emballer ?

— Bof…

Mes copines Fred et Dom (Frédérique et Dominique, mais je préfère les raccourcis) me harcèlent depuis des semaines pour que je magasine avec elles une paire de chaussures originales. Je leur ai dit que c'était le dernier de mes soucis de me chausser les pieds « originalement », mais elles sont catégoriques : elles ne me laisseront pas tranquille tant que je n'aurai pas mis la main sur une paire de godasses qui sort de l'ordinaire. Et pourquoi tout ce chichi pour une paire de souliers ? Parce que dans un mois, le samedi 20 juin pour être plus précise, aura lieu le bal des finissants et qu'à l'heure actuelle, dans ma garde-robe, je n'ai que deux paires d'espadrilles.

Fred, Dom et moi, on se connaît depuis le début du secondaire. On s'est retrouvées toutes les trois dans le même groupe et, depuis, on ne s'est jamais lâchées. Fred, c'est une petite bonne femme délicate avec une drôle de tête : tous les matins, elle se fait plein de couettes avec des élastiques de couleurs différentes. Ça lui donne un petit air taquin. Elle est toujours de bonne humeur (ce qui est dangereusement contagieux), mais elle est aussi un peu naïve : on peut lui faire croire n'importe quoi, ce qui la met parfois dans de drôles de situations. Dom, de son côté, c'est une grande fille à la carrure solide dont les longs, longs, longs cheveux bruns tombent en cascade dans le bas de son dos. C'est une très belle fille, mais ce qu'elle a de plus particulier encore, c'est sa voix. Quand elle parle, on dirait que ses cordes vocales ont été égratignées. Sa voix est tellement rauque ! Lorsque je jase avec elle au téléphone, j'ai l'impression de parler à une fille beaucoup plus vieille que moi, alors que, dans les faits, elle est plus jeune.

Dom, Fred et moi attendons l'arrivée de notre bal depuis un long moment déjà, mais pas pour les mêmes raisons. Elles, elles rêvent toutes les deux de se pavaner dans leurs robes à gogo et leurs chaussures psychédéliques qu'elles ont achetées à rabais dans une friperie du boulevard Saint-Laurent (gageons que c'est là qu'elles m'emmèneront tout à l'heure !) alors que, moi, je serai là pour contempler la déco. C'est que, depuis le début de l'année, les élèves de la concentration arts plastiques (dont je fais partie) bûchent comme des fous pour confectionner tous les accessoires qui serviront pour le bal. C'est une tradition à l'école secondaire Cœur-Vaillant : chaque année, ce sont les finissants de la concentration qui s'occupent de créer les décors de toutes pièces. L'an passe, le thème était « la Nouvelle-France ». Il fallait voir la piste de danse en faux bois et l'immense chandelier qui descendait du plafond !

C'était vraiment quelque chose ! Cette année, Picasso (c'est notre prof) nous a convaincus de faire un bal « sixties » : des couleurs étranges, des formes géométriques à n'en plus finir et des meubles tout droit sortis des films *Austin Powers* ! Il nous a montré plusieurs photographies de ces années-là, nous a fait regarder des extraits de films et aussi écouter des tounes de l'époque. Sur le coup, je n'étais VRAIMENT pas certaine que c'était l'idée du siècle (et je n'étais pas la seule). Est-ce que j'allais vraiment passer la soirée dans une robe tube couleur orange électrique à me trémousser sur des vieux succès de Claude François ou des Rolling Stones ? Je trouvais l'idée assez étourdissante, à m'en donner la nausée. Mais Picasso a toujours le dernier mot (je dis bien TOUJOURS) et il sait être très persuasif ; on a donc adopté le thème qu'il proposait et on s'est mis au boulot sans rechigner (bof, un peu, quand même !).

— Clara ? Clara ? Tu m'écoutes ou tu fais semblant ?

Je sors de ma bulle pour répondre à Grand-Théo :

— Oui, oui, je t'écoute…

— Alors, ces souliers ? Ça te tente ?

— Tu sais, moi, le magasinage… Et pis mon pantalon est tellement long qu'on ne verra même pas mes pieds, alors…

— Tu veux que je le retouche ? Je peux lui enlever quelques centimètres si tu crois que…

Quand il a su que je voulais aller au bal en pantalon (je n'aime pas beaucoup mes jambes, alors pas question d'enfiler une minijupe et un collant!), Grand-Théo a presque sauté de joie et s'est empressé de me proposer ses services de couturier. Il est tailleur dans une mercerie de la rue Beaubien, pas très loin de la maison. Il m'a donc fait plein de suggestions originales (et je jure qu'il s'y connaît côté chiffon, mon grand-père!). J'ai opté pour un long pantalon «pattes d'éléphant» bleu poudre qui appartenait à ma grand-mère (j'ai du mal à croire qu'elle l'a réellement porté…) et que Grand-Théo gardait rangé dans une malle au sous-sol depuis son décès (elle est morte longtemps avant ma naissance). Il me l'a rafistolé en moins de temps qu'il n'en faut pour le dire et m'a aussi confectionné un débardeur brun chocolat qui s'attache derrière le cou. Je dois avouer que, même si au départ l'ensemble me semblait de très mauvais goût, je commence à m'y habituer. Je vais donc jouer le jeu du costume «années soixante» et je suis même prête à porter un chignon à la Brigitte Bardot: la coiffeuse qui a un salon juste à côté de la mercerie de Grand-Théo m'a promis de faire des miracles avec ma tignasse (j'ai bien hâte de voir ça parce que j'ai sur la tête au moins quarante-cinq kilos de longs cheveux noirs indisciplinés qui refusent habituellement toute tentative de mise en plis). Avec mon costume et ma coiffure, je suis pile-poil dans le thème du bal, mais je n'ai vraiment pas envie de passer un après-midi à magasiner des souliers qui seront, de toute façon, cachés sous les larges pattes de mon pantalon.

— Je pense que si j'enlevais deux centimètres, ce serait suffisant pour…

— Grand-Théo, perds pas ton temps avec ça…

— Mais non, mais non! Ça me ferait plaisir de le faire.

— J'ai dit non.

Je voudrais qu'on laisse mes pieds tranquilles. Moins ils attireront l'attention, mieux je me porterai. Et si vraiment j'avais envie de les mettre à l'avant-plan, je pourrais très bien aller au bal en pantoufles (j'en possède d'ailleurs une belle paire en forme de têtes de gorille qui feraient très bien l'affaire!). Mais Fred et Dom ne voient pas les choses de cette façon et je sens, ce matin, que Grand-Théo penche aussi de leur côté…

— Tu sais, Clara, les souliers, c'est une des premières choses que les gens regardent.

— Hé! ho! tu sais très bien que c'est mon fauteuil roulant que les gens regardent. C'est lui qui vole la vedette. Et puis, de toute façon, mes pieds sont croches et mes chevilles sont enflées, alors…

— Ma petite-fille, tu sous-estimes tes pieds et…

Je sous-estime mes pieds?! Mais bon sang! je suis clouée dans un fauteuil roulant! Si mes deux jambes fonctionnaient, peut-être que je trouverais amusant de perdre mon temps dans un magasin de chaussures à me pavaner devant un miroir avec des godasses qui ne sont même plus à la mode. Mais comme il n'y a pas l'ombre d'une chance que je me lève subitement avec l'envie de danser le soir du bal,

je ne comprends pas pourquoi tout le monde s'obs-
tine à vouloir me chausser les pieds!

Je pousse un soupir d'exaspération. Pour moi, le
sujet est clos. Je fais faire demi-tour à mon fauteuil
à la force de mes biceps et je quitte la cuisine, bien
décidée à contester la séance de magasinage que
veulent me faire subir mes deux amies.

DIMANCHE 7 JUIN,
QUELQUES HEURES PLUS TARD.

★ — T'as fini de dire des conneries?

— Tu peux pas être sérieuse pour une fois?

Si Fred et Dom avaient des fusils à la place des
yeux, je serais six pieds sous terre depuis un bon
moment déjà. Manifestement, je n'ai pas réussi à
trouver une bonne excuse pour échapper à l'activité «lèche-vitrine» organisée par mes deux copines,
puisque nous sommes actuellement dans une friperie yéyé du boulevard Saint-Laurent. Depuis
que nous avons mis les pieds (et mes roues!) dans
cette boutique, je ne fais que rigoler. Nous avons fait
une entrée pas discrète pour deux sous: Dom s'est
coincé un doigt dans une roue de mon fauteuil en
tentant de le soulever et Fred s'est affalée de tout son
long en le poussant trop fort une fois à l'intérieur.
J'ai un fauteuil manuel qui fonctionne à l'huile de
coude, puisque Grand-Théo ne veut pas que je me

promène en fauteuil électrique. Il exige que je garde la forme. Résultat : j'ai des bras à la Rambo et des jambes de Schtroumpf. Depuis que nous avons fait cette entrée singulière dans le magasin, je n'arrête pas de pouffer de rire devant toutes ces paires de chaussures plateforme bizarres. Il est évident que mes deux copines n'aiment pas mes plaisanteries. La vendeuse non plus ne semble pas apprécier mon humour.

— Les filles, je vois vraiment pas ce qu'on fait ici, que je leur dis entre deux fous rires.

— Tu sais très bien pourquoi on est là, me réplique Fred.

— Mais PERSONNE ne s'intéresse à mes pieds !

— Au contraire, nous, on s'y intéresse, me balance Dom.

De mes deux copines, Dom est la plus coriace. C'est le cas de le dire : c'est elle qui mène le bal ! Fred, plus discrète, n'en est pas moins convaincue, elle aussi, qu'il me faut des chaussures pour faire mon entrée dans la salle où aura lieu cette sacro-sainte soirée.

— Regarde ! Regarde ces bottes !

Dom a dans les mains une paire d'échasses jaune moutarde dont les talons, si je me tenais sur mes deux pattes, me permettraient de toucher les étoiles.

— T'es folle, Dom ! Elles sont trop hautes !

— Mais ON S'EN FOUT ! T'es assise ! me répond-elle.

— Alors, justement, puisque je suis assise…

Mais Dom ne m'écoute déjà plus, butinant comme une abeille d'une paire de souliers à une autre. Fred revient du fond du magasin chargée comme un mulet et dépose sur une chaise près de moi plusieurs paires de chaussures colorées. Je soupire...

— Les filles, plutôt que de vous acharner sur mes pieds, pourquoi vous gardez pas votre énergie pour trouver un gars qui pourrait vous accompagner?

Elles se retournent toutes les deux et me regardent d'un air indifférent. Fred et Dom ne veulent pas être accompagnées pour le bal. Ce sont pourtant deux belles filles intelligentes et amusantes qui, d'ordinaire, attirent les regards. Mais elles racontent à qui veut bien l'entendre qu'elles sont indépendantes et qu'elles peuvent très bien aller au bal sans garçon. Moi, je pense qu'elles font ça pour ne pas me blesser parce qu'elles savent que j'irai seule à cette soirée. Je les soupçonne même d'avoir refusé des invitations. Bon, c'est vrai que je n'ai personne pour m'escorter à ce bal. Mais c'est moi qui veux ça. Pourquoi? Pas parce que je suis une pôvrrrrre fifille timide et repoussante, avec un tour de taille démesuré ou des points noirs plein la figure. Pas du tout même. En fait, je suis une belle grande fille et je me fais plutôt confiance. Je suis peut-être à cheval sur quatre roues, mais je n'ai pas de complexe pour autant. Je dirai même que c'est une bonne chose que je sois assise à longueur de journée, puisque, une fois dépliée de tout mon long, je mesure tout près d'un mètre quatre-vingt-dix. En restant assise, je ne porte pas l'odieux de dépasser tous les garçons de l'école ! Parce que si j'étais debout sur mes deux jambes, je serais une copie conforme de la tour Eiffel. Non, si je vais seule au bal, c'est tout simplement parce que je trouve les gars de mon école immatures et sans intérêt. Enfin, presque tous. Parce que si je n'étais pas si effrayée à l'idée de lui demander de m'accompagner, il y a bien un garçon sur qui je jetterais mon dévolu. Et ce garçon, qui c'est ? Eh bien, nul autre que le beau, le magnifique, l'extraorrrrrdinaire Thibaud Desjardins.

* * *

Thibaud Desjardins est le seul gars qui me fait craquer. Heureusement que j'ai déjà les jambes comme de la guimauve parce que, sur une paire de jambes normales, je ramollirais en un rien de temps chaque fois que je me trouverais devant lui. Thibaud est dans la concentration arts plastiques, lui aussi. Je le croise donc assez souvent. Tous les jours, en fait. Lui et moi, on partage la même passion : la peinture. Il rêve de devenir un grand peintre. Moi aussi. Il rêve d'exposer ses œuvres dans les plus grandes villes du monde. Moi aussi. Il aime peindre à l'huile. Moi aussi. Il traîne partout avec lui un petit carnet dans lequel il griffonne tout ce qui l'inspire. Moi aussi.

C'est un bonheur pour mes yeux de le regarder dessiner et peindre durant les cours d'arts. Mais c'est aussi un vrai marathon pour mon rythme cardiaque qui augmente de façon spectaculaire lorsqu'il lève son regard vers moi et qu'il me dévisage avec ses grands yeux noirs. Ahhhhhhhhhhhhhh ! mon cher Thibaud ! Je dois admettre que c'est un prénom assez inédit. Mais je l'ai rapidement intégré à mon vocabulaire. Quand je le prononce, j'ai l'impression de déclamer le titre d'un beau et vieux poème (O.K., je sais que c'est franchement cucul, cette façon que j'ai de m'amouracher de son prénom, mais il me rend complètement gaga !). Il paraît que mon sarcasme est légendaire (c'est ce que me répète souvent mon grand-père) et que je peux désarçonner n'importe qui rien qu'en ouvrant la bouche. C'est vrai que quand je le veux, je peux être assez cinglante. Mais lorsque je me retrouve devant Thibaud Desjardins, je perds tous mes moyens et je me transforme en gros pétard mouillé… Alors, comment lui faire comprendre que j'aimerais vraiment qu'il m'accompagne au bal sans pour autant le lui faire savoir ? Voilà une troublante énigme que je dois résoudre. Et ce sera difficile parce qu'en plus personne ne le sait. Je n'ai pas encore trouvé le courage d'en parler à Dom et à Fred. Je ne sais pas comment aborder le sujet avec elles. Il n'y a donc pas de secret mieux gardé que mes sentiments pour Thibaud Desjardins. Je pense que je suis prise dans un cul-de-sac…

* * *

— Alors, miss Bougon, t'en penses quoi de celles-là ?

Dom me braque devant les yeux une paire de bottes ahurissantes : elles sont d'un rouge très vif, avec de trrrrrès (trop !) gros talons en bois.

— Dom !!! Avec ça, j'aurais l'air d'un pompier grimpé dans un arbre !

— Mais non! dit-elle. Elles sont parfaites!

— Mais elles sont ROUGES, et mon pantalon est bleu…

— Je vois pas le rapport…

— Dom, tu sais quoi? Je t'emmerde!

— Clara, ferme-la quelques minutes, tu veux bien? Je te dis que ces bottes sont PARFAITES!

Elle me tourne le dos et appelle Fred.

— Fred, viens voir ce que j'ai trouvé pour Clara…

Je ne l'entends plus. Elle court rejoindre sa complice en gesticulant, excitée comme une puce. Je regarde les bottes qu'elle a laissées sur le sol près de mon fauteuil et je suis découragée. Elles sont tout ce qu'il y a de plus… moche. Oui, c'est ça, ces bottes-là sont tout simplement moches. Mais à bien y penser, si je les prends, Fred et Dom seront satisfaites et mon calvaire sera terminé, non? On sera vite sorties d'ici et je n'aurai pas perdu tout mon après-midi. J'aurai peut-être même le temps d'aller faire trempette à la piscine. Je n'hésite donc pas une seconde de plus et je fais signe à mes deux copines.

— O.K., les filles, on passe à l'essayage. Et que ça saute!

Fred tape dans ses mains (on dirait qu'elle a trois ans et qu'on vient de lui offrir LA poupée Barbie de ses rêves) et s'empresse de me donner un coup de pouce pour enfiler la fameuse paire de bottes, tandis que Dom part à la recherche d'un miroir. C'est à ce moment précis que j'entends derrière moi une voix que je reconnaîtrais entre mille:

— T'as vraiment besoin de souliers ? C'est pas plutôt des pneus que tu devrais t'acheter ?

Le propriétaire de cette voix un peu fausse, teintée d'ironie, c'est le gars le plus désagréable, le plus chiant de l'école Cœur-Vaillant : François Janvier. Je vois son reflet dans la vitrine de la boutique. Il se tient droit comme un soldat, un sourire railleur aux lèvres. Que fait-il ici ? Question stupide : il est évidemment là pour magasiner, lui aussi. La bonne question serait plutôt : « Pourquoi le sort s'acharne-t-il sur moi ? » Est-ce que, en plus de me taper sa présence à l'école depuis cinq ans, cinq jours par semaine, je dois maintenant me le farcir la fin de semaine ? Je ne réagis pas tout de suite, histoire de réfléchir quelques secondes à la charmante réplique que je vais lui servir. Mais je dois faire vite car, à voir le rouge qui lui monte aux joues et les mitraillettes qu'elle a au fond des yeux, je sais que Fred est sur le point de prendre ma défense (et comme elle ne se fâche presque jamais, quand elle s'y met, ça vire toujours à la comédie). Pour éviter qu'elle se couvre de ridicule et parce que j'aime mieux me défendre moi-même (surtout quand l'attaque vient de ce pauvre imbécile de François Janvier), je me retourne lentement, le regarde droit dans les yeux et lui renvoie la balle.

— Ah ! mais c'est ce cher François Janvier ! Je trouvais aussi que ça sentait les œufs pourris. Toujours de la difficulté à garder l'haleine fraîche, à ce que je vois.

Il me défie du regard. Je ne baisse pas les yeux. C'est à celui qui le fera le premier. Un petit jeu auquel nous jouons quelquefois, lui et moi. Car nous n'en sommes pas à notre première altercation. Cette fois, c'est moi qui gagne la partie, puisqu'il se tourne vers la fille pendue à son bras.

— Tu crois que tu vas trouver ce que tu cherches ici ? lui dit-il.

Il fait demi-tour, entraînant derrière lui la blondinette qui l'accompagne. Dom revient du fond de la boutique avec un grand miroir sur roulettes.

— C'est pas François Janvier que je viens de voir ? demande-t-elle.

— Lui-même en personne ! réplique Fred. Ce gars-là est vraiment le dernier des cons !

Encore fière de ma riposte et de l'effet qu'elle a produit sur ce gros épais de François Janvier, je n'écoute que d'une oreille ce que mes copines racontent.

— J'en reviens pas de ce qu'il lui a dit, s'offusque Fred en s'adressant à Dom.

— Encore une vacherie ?

— Encore, oui ! Je sais pas comment elle fait pour endurer ça.

— Elle a les nerfs solides, notre Clara !

— Peut-être, mais elle devrait pas avoir à encaisser tout ça.

Parce que je déteste qu'on parle de moi comme si je n'étais pas là, j'ouvre enfin la bouche.

— Hé ! ho ! les filles ! ça va aller, vous en faites trop !

Fred me dévisage. Janvier et la fille blonde passent près de nous et sortent du magasin sans nous regarder. Dans son dos, Dom lui fait un doigt d'honneur.

— C'est ça, tire-toi, pauvre *twit*, lui lance-t-elle alors que la porte de la boutique se referme.

— Laisse tomber, Dom. Ça vaut pas la peine de lui donner toute cette attention.

— Mais ce qu'il te dit, ça ne te dérange pas ? demande Fred.

— C'est juste des mots.

— Ben, justement, les mots, des fois, ça peut fesser plus fort que des coups. Tu trouves pas ? intervient Dom d'un ton ferme.

— Ça dépend des mots…

— Ça dépend des mots ? Ben, voyons, Clara, Janvier fait toujours allusion à… euh… à… ton handicap…

— Peut-être, Fred. Mais c'est pas la fin du monde.

— Moi, en tout cas, je sais pas comment tu fais pour endurer ça.

— J'endure rien. C'est vrai que ça peut des fois me taper sur les nerfs, surtout que c'est toujours les mêmes blagues idiotes qu'il me fait. Mais j'ai pas peur de lui et ça me fait du bien de lui répondre : ça aiguise mon caractère !

Fred me regarde, incrédule.

— Je ne te comprends pas, Clara.

— Y a rien à comprendre, Fred.

— Bon, on les essaie, les bottines, oui ou non ? demande Dom.

Son ton indique clairement qu'il est temps de changer de sujet. Mais Fred semble loin d'avoir terminé son analyse de l'affaire « François Janvier contre Clara Destroismaisons-Parenteau ». Elle poursuit son monologue et ni Dom ni moi n'arrivons à la faire taire.

— Ce gars-là est vraiment pas correct. Moi, j'en ai marre de lui et de son comportement de crétin. C'est déjà pas drôle pour toi, Clara, d'être… ben, tu sais… d'être handicapée, si en plus faut que tu te tapes des commentaires comme ça… Ce gars-là a pas de cœur, y a aucun respect pour toi et pour ton passé, c'est super-méchant, ce qu'il t'a dit, pis tu devrais pas faire comme si y avait rien là. Moi, en tout cas, si j'étais toi…

— Eh bien, justement, Fred, tu n'es pas moi.

Elle est bien gentille, ma copine Fred, mais elle tombe facilement dans le drame. Je ne SUIS PAS une victime. Je suis sur quatre roues, mais je ne fais pas pitié ! Je refuse qu'on s'apitoie sur mon sort. En fait, je déteste ça profondément ! Fred a toujours vu mon accident comme si c'était un grand malheur insurmontable. C'était peut-être vrai au début, quand c'est arrivé. Mais ça fait longtemps que les choses ont changé. Mon handicap ne date pas d'hier et j'ai appris à vivre avec. Ça, Fred a de la difficulté à le comprendre…

* * *

Je me déplace en fauteuil roulant depuis l'âge de quatre ans, à cause d'un très bête accident de voiture dans lequel j'ai perdu l'usage de mes deux jambes… et mes parents. C'est cette perte-là qui est la plus difficile pour moi. Le souvenir que j'en ai est assez vague. Tout ce dont je me souviens, c'est mon déménagement chez Grand-Théo et ma surprise en voyant ma nouvelle chambre qu'il avait peinte tout en bleu pour moi, avec des nuages au plafond. Je me rappelle aussi les séances de physiothérapie qui ont suivi l'accident. J'étais toute petite, mais je me souviens qu'on me faisait faire des exercices dans une salle avec d'autres enfants. Parfois aussi, je m'entraînais dans un grand bassin. Encore aujourd'hui, je vais presque tous les jours à la piscine du quartier pour nager. Ces exercices font partie de ma vie comme respirer, boire et manger.

Pour que je n'oublie pas le visage de mes parents, mon grand-père a tapissé les murs du salon et de ma chambre de photographies. On y voit surtout ma mère, puisqu'elle était sa fille. Elle était belle, ma mère. Et mon père n'était pas mal non plus!

Mes parents me manquent beaucoup, même après toutes ces années. La perte de mes jambes, à côté de ça, ce n'est pas grand-chose. Depuis l'accident, cependant, depuis que mes parents ont dramatiquement disparu, celui qui a pris toute la place, celui qui a rempli ce vide causé par leur absence, c'est mon grand-père. Mon beau Grand-Théo. Je lui dois beaucoup. Je lui dois l'obstination qui me caractérise. Une obstination qu'il possède lui-même, mais qu'il m'a transmise. Une obstination qui m'aide à me défendre dans la vie de tous les jours, mais qui m'a surtout permis de me battre afin d'apprivoiser la perte de mes parents et mon handicap. Si j'ai un sale caractère, c'est sa faute. Sans blague! Grand-Théo a la tête encore plus dure que la mienne et, chaque fois que le découragement s'empare de moi, il est là pour m'épauler et me secouer les puces. Je lui dois la vie. Et ma tête de cochon.

Je ne suis pas une victime. Je suis une fille qui a des rêves et qui les réalisera. Un jour, je serai une peintre célèbre. Un jour, mes toiles seront accrochées dans les galeries d'art de Milan et de Barcelone. Un jour, je voyagerai aux quatre coins du monde pour rencontrer d'autres artistes et m'inspirer de leurs œuvres. Et ce ne sont pas mes jambes en compote qui vont m'en empêcher.

* * *

Fred et Dom regardent mes pieds qui sont chaussés des fameuses bottes rouges. Je dois avouer qu'elles ne me déplaisent pas. Elles me font de drôles de jambes, mais l'effet a quelque chose de provocateur, et comme je ne déteste pas la provocation (et que je veux sortir d'ici au plus vite !), je décide de les acheter sur-le-champ. Fred sautille comme une enfant de deux ans à qui on vient de promettre un cornet de crème glacée à la gomme balloune. Dom, elle, me fixe et semble heureuse de ma décision. Je me demande bien comment on peut être *heureux* d'acheter des bottes. Je pense que c'est une chose que je ne comprendrai jamais... Mes amies semblent toutes les deux convaincues d'avoir remporté une grande bataille. Mais ce qu'elles ne devinent pas, en fait, c'est que, pour moins de cinquante dollars, je viens d'acheter la paix et quelques heures de liberté...

★ Le cours de français est interrrrrminable, ce matin. À deux semaines des examens de fin d'année, M. Pigeon, notre vieux prof qui aurait dû prendre sa retraite depuis au moins quarante ans, s'est cru obligé de nous offrir un condensé de tout ce qu'on a appris durant l'année. En plus d'être long, son discours est d'un ennui mortel… Je suis assise au fond de la salle, près de la porte (c'est ma place dans toutes les classes, puisque mon attelage sur roues n'est pas facile à manier entre les tables et les chaises, et que je ne veux pas créer un embouteillage). Je fais semblant d'écouter attentivement les paroles de notre vénérable enseignant (il doit avoir tout près de cent dix ans !) mais, en réalité, mes yeux sont rivés sur le derrière de la tête de Thibaud qui est assis à l'avant. Il n'a manifestement pas pris le temps de se brosser les cheveux ce matin, puisqu'ils sont désordonnés, comme s'il venait de sortir du lit. Il semble attentif, ce qui ne m'étonne pas (ce gars-là est toujours d'un sérieux déconcertant), mais le voilà qui se retourne soudain vers moi et imite un long bâillement. Mon cœur bat à fond la caisse, comme chaque fois que Thibaud pose les yeux sur moi. Mais comme je ne veux pas qu'il perçoive mon embarras (heureusement, je ne rougis pas facilement), je lève le pouce en signe d'approbation et je lui fais signe de regarder l'horloge sur le mur, derrière M. Pigeon. Il ne nous reste plus que quelques minutes à endurer le charabia de notre vieux prof. Vivement la cloche, parce que le prochain cours, c'est celui d'arts plastiques. Thibaud sera assis à mes côtés et je pourrai alors me gaver les yeux. Parce que c'est ce que je fais toujours quand je le vois ; je fais provision de tout ce qui me fait craquer chez lui. D'abord ses grands yeux noirs, aussi noirs que le sont ses cheveux, ses yeux superbes dans lesquels je plonge littéralement la tête la première. Si je n'étais pas une aussi bonne nageuse, je pourrais certainement m'y noyer… (Ouah ! une fois de plus, je donne dans le cucul… En fait, je ne me reconnais pas moi-même : moi, l'impératrice de la dérision, la reine des réparties mordantes, quand il est question de Thibaud Desjardins, je perds toute ma crédibilité…) Il y a aussi son merveilleux sourire qui me rend complètement gaga et ses longues mains que j'aimerais prendre dans les miennes et…

La cloche sonne bruyamment alors que je suis perdue dans mes pensées. Comme je n'ai pas ouvert mes livres de tout le cours de français et que mes crayons n'ont pas bougé de leur étui, en quelques coups de roues, je suis la première à sortir de la classe.

Dans le corridor, c'est la cohue. Ça sent la fin de l'année. Des élèves de première secondaire passent près de nous (c'est toujours rigolo de les voir ; ils sont tellement minus !). Je croise mon voisin, Pierrot, qui me lance un timide « bonjour » (il est toujours gêné de me parler à l'école alors que, dans la ruelle derrière chez nous, toutes les occasions sont bonnes pour qu'il vienne piquer une petite jasette avec moi). Un peu plus loin, Antoine, un de mes copains en arts, me salue de la main. Ce gars-là a tellement de talent (faut voir ses sculptures !) que même Rodin s'inclinerait devant lui. Bon… j'exagère peut-être un tout petit peu, mais c'est pour vous dire à quel point il est doué ! Dom et Fred me rejoignent et nous prenons l'ascenseur qui mène à l'étage supérieur, là où se trouve le local d'arts plastiques. Je suis la seule élève de l'école qui a une clé pour l'ascenseur (au grand désespoir de M. Maheu, le concierge, qui n'aime pas voir ses passe-partout en main étrangère !), et il m'arrive souvent d'offrir une petite balade à mes copines.

* * *

Je dois ici me confesser d'un terrible secret concernant cet ascenseur : j'ai déjà fait payer quelqu'un qui voulait y avoir accès. Quelqu'un qui était sérieusement dans le pétrin et qui devait abssssolument l'utiliser afin de sauver sa réputation. Je devrais avoir honte de mon comportement. Faire payer un individu dans le besoin pour un simple petit voyage en ascenseur, c'est honteux ! Mais, malgré toute ma bonne volonté, je n'arrive pas à me sentir coupable, puisque cet « individu » n'était nul autre que François Janvier.

Le pauvre était vraiment dans de beaux draps : pendant un cours d'éducation physique, alors qu'il prenait sa douche dans le vestiaire au sous-sol, des garçons lui avaient volé ses vêtements pour les cacher dans les toilettes du troisième étage. J'attendais patiemment l'arrivée de l'ascenseur quand il est apparu devant moi, tout dégoulinant, une serviette nouée autour de la taille.

— Euh… salut, Clara. Euh… tu vas bien?

— François Janvier? Depuis quand tu t'intéresses à mon bien-être?

Il était manifestement mal à l'aise et ça me plaisait de le voir dans cet état. Depuis que je le connais, ce gars n'a jamais été tendre avec moi. Lorsqu'il m'adresse la parole, c'est toujours pour m'envoyer une pelletée d'insultes. À cette époque (nous étions en deuxième secondaire), Janvier se moquait régulièrement de moi dans l'autobus, en classe ou encore dans les corridors, trouvant que je prenais trop de place. Dans sa bouche, mon fauteuil roulant devenait une « minoune », une « charrette » ou encore un « tracteur ». Naturellement, ça faisait rire ses copains. J'avais beau essayer de l'ignorer, pensant que si je jouais les indifférentes, il se fatiguerait, mais il recommençait toujours et encore. Ce jour-là, en le voyant à moitié nu devant moi, j'ai senti que l'heure de ma vengeance allait sonner.

— Écoute, Clara, j'aurais besoin de ton aide. Il faut que je monte au troisième étage pour récupérer mes vêtements.

— Et?

— Ben, disons que je n'ai pas l'habitude de me promener dans l'école attifé comme ça…

— Et?

— T'as la clé de l'ascenseur, non?

— Et alors?

— Faut que je te le mime, ou quoi? Je suis à poil et y est pas question que je monte les escaliers comme ça pour aller au troisième!

Les escaliers en question donnent sur l'agora, là où se rassemblent toujours de nombreux élèves et quelques profs pendant les pauses. Si Janvier les empruntait, plusieurs personnes le verraient, peut-être même la directrice, Mme Ladouceur. Et ça, c'était clair qu'il n'en avait vrrrrrraiment pas envie! Car en plus d'être effronté, insolent, grossier, irrespectueux et provocant, François Janvier est un garçon exceptionnellement orgueilleux.

Je me rappelle l'avoir scruté des pieds à la tête à ce moment-là, le plus sérieusement du monde, pour en venir à la conclusion que, vêtu d'une simple serviette de bain, avec sa tignasse humide et ses joues rosies par la colère, il était assez beau garçon. Il n'était pas encore très baraqué à l'époque (alors que, maintenant, il est plutôt du genre colosse), mais il plaisait déjà beaucoup aux filles. Sauf à moi. Car je savais qu'au-delà de son joli minois se trouvait (et se trouve toujours, encore aujourd'hui) un être exécrable.

— Tu sais que si tu veux que je te tire de cette situation embarrassante, tu vas devoir payer le gros prix…

Janvier me dévisageait, confus. Comme c'était réjouissant!

— Quoi?

— Tu penses vraiment que je vais t'offrir gratuitement une petite balade en ascenseur?

— Qu'est-ce que tu veux, Clara Destroismaisons-Parenteau ? Que je me prosterne devant toi en te suppliant de me faire monter ?

— Oui.

— Hein ?

— C'est exactement ce que tu vas faire. Et tu vas demander pardon. Pour toutes les conneries que tu m'as fait endurer jusqu'à aujourd'hui.

Sa réaction a été immédiate : il m'a traitée de tous les noms (en employant des mots de très mauvais goût), mais il a fini par s'incliner devant moi, enragé, crachant entre ses dents un faible « je m'excuse » (des excuses pas sincères pour deux sous, mais quand même la scène valait le coup d'œil !). Ce moment restera gravé pour toujours dans ma mémoire.

Dans les jours qui ont suivi, j'ai poussé un petit peu plus loin ma vengeance en racontant l'anecdote (dans tous ses détails, même les plus croustillants) à qui voulait bien l'entendre : à mes amis, mais aussi à d'autres élèves que je connaissais. Même certains profs ont eu vent de l'affaire. Évidemment (et je m'y attendais), sieur Janvier n'a pas apprécié. Il a redoublé de méchanceté et, depuis, ne rate jamais une occasion de me faire des remarques encore plus désobligeantes. Sauf que, maintenant, c'est fini, le jeu de l'indifférence. Aussitôt qu'il me nargue, je cogne (avec de beaux gros mots bien sentis). J'excelle vraiment à ce petit jeu parce que chaque fois qu'il me provoque, je me fais un plaisir de lui servir une réplique de mon cru. Ce sont mes jambes qui sont dans le Jell-O. Pas mon cerveau !

À l'époque, Fred et Dom m'avaient trouvée un peu cinglée de me mettre dans l'eau chaude comme ça. Elles pensaient que j'étais allée trop loin en ébruitant l'affaire. Elles me répétaient souvent que si je m'étais fermé la trappe et que j'avais gardé cette histoire pour moi, Janvier m'aurait laissée tranquille une bonne fois pour toutes. Mais je crois que c'est mal connaître François Janvier. Insulter les gens, c'est viscéral chez lui. Il ne peut pas vivre sans ça ; il en a besoin (j'exagère à peine). Même si je n'avais rien dit à personne ce jour-là, je pense qu'il n'aurait pas tenu le coup. Un jour ou l'autre, il me serait retombé dessus.

* * *

Je sors de l'ascenseur avec Dom et Fred. Devant le local d'arts plastiques, un groupe d'élèves discutent bruyamment. Certains rient nerveusement, d'autres semblent en colère. Je remarque Thibaud, un peu en retrait, qui écoute avec attention ce que racontent les autres. Bon Dieu, qu'il est craquant quand il a ce petit air sérieux ! Je m'approche de lui avec l'intention de lui demander ce qui se passe (en voilà une belle excuse pour lui parler !), mais Dom est plus rapide que moi (et cela n'a rien à voir avec le fait que je suis sur des roues et elle sur des pieds !).

— Salut ! C'est quoi, tout ce monde ? lui demande-t-elle.

— Y a une rumeur qui court... répond-il, énigmatique.

— Une rumeur ?

— Chouette ! J'adorrrrre les rumeurs, que je lance avec le plus d'ironie possible.

Thibaud se tourne vers moi en souriant. C'est exactement ce que j'espérais. Lorsque je lâche des phrases sur ce ton-là, ça le fait toujours sourire. Il est mon meilleur public. Ses grands yeux noirs deviennent rieurs… et je sens alors mon cœur fondre comme un Popsicle au gros soleil…

— Ben alors, cette rumeur ? C'est quoi ? s'impatiente Dom, qui veut manifestement étancher sa soif de curiosité.

— Ils disent qu'une B. B. va avoir lieu cette semaine, dit Thibaud.

— Une quoi ? Une B. B. ? C'est quoi, une B. B. ? l'interroge Fred.

— Une bataille de bouffe, que je lui explique, sachant très bien ce que B. B. signifie.

Fred me regarde avec des yeux incrédules.

— Qui veut se battre avec de la bouffe ? s'inquiète-t-elle.

— Ben, y paraît que la gang à Janvier serait dans le coup, précise Thibaud.

— Tiens, tu m'étonnes ! s'écrie Dom.

Que Janvier et sa bande aient envie de fêter la fin de leur secondaire en se tapant sur la tête à coups de banane ou en se catapultant du yogourt dans les yeux n'a rien de surprenant. Janvier est un garçon qui ferait n'importe quoi pour se rendre intéressant. À un point tel qu'il a réussi à convaincre le comité d'organisation du bal de le choisir pour faire l'animation durant la soirée (au grand désespoir de mes amies et de moi-même). Janvier est un être immonde, mais il a une excellente réputation auprès des profs de français. C'est un as des exposés oraux (je me dis que ce doit être normal, puisqu'il a une grande gueule). Convaincant, sûr de lui, François Janvier est chiant, mais il excelle dans l'art de parler (à mon avis, c'est probablement sa seule qualité). C'est donc lui qui aura l'honneur d'aiguillonner l'assistance, le soir du bal, avec une présentation de son cru. Il sera la vedette de la soirée. Et, naturellement, il s'en vante à tout le monde.

— Et pourquoi ce petit morveux de Janvier veut faire une bataille de bouffe ? demande Fred.

— Pour se rendre intéressant, voyons ! lance Dom.

— Parce que son cerveau n'est rien d'autre qu'un chou-fleur trop cuit ! m'exclamé-je.

Thibaud s'esclaffe. Comme c'est bon de sentir que j'ai le pouvoir de le faire rire !

— Une bataille de bouffe ? C'est vraiment con ! décrète Fred, toujours aussi incrédule. Tu penses que la directrice va accepter ça sans rien dire ? Janvier va se faire retirer l'animation du bal s'il fait le con comme ça, tu penses pas ?

— Peut-être, mais ça a pas l'air de lui faire peur, réplique Thibaud en me faisant un clin d'œil.

Mes deux amies se lancent dans un grand discours discréditant à la fois les batailles de bouffe et François Janvier, mais la conversation ne m'intéresse déjà plus. Je préfère analyser le clin d'œil que Thibaud vient de m'adresser. Un clin d'œil qui m'a mise dans un état d'affolement considérable. Je ne baisse jamais les yeux devant lui (ni devant personne, d'ailleurs) parce que je ne veux pas qu'il sache combien, ô combien, il me fait de l'effet. Mais là, en ce moment, j'ai tellement la chair de poule que je suis sur le point de détourner mon regard du sien. Pourquoi ce clin d'œil? Pour me rendre complice de quelque chose? Mais de quoi? Fait-il cela parce qu'on est des bons amis, lui et moi, et qu'on a la même opinion sur François Janvier? Parce que je le fais rire? À moins qu'il ne veuille me faire comprendre que je lui plais? Ce serait possible, ça, que je lui plaise? Ouah! Oh là là!

— Clara? Tu as entendu ce que je viens de te dire?

Je sors de ma torpeur.

— Certainement, tu disais que…

Mais je n'ai aucune idée de ce que Dom vient de me dire. Heureusement, Picasso arrive sur ces entrefaites et nous invite à entrer dans la classe.

— Allons! un peu plus vite! Entrrrrrrez rrrrr-rapidement, je vous prrrrrie, nous avons encorrrrre du boulot à abattrrrrre pour que ce bal soit grrrrrrandiose!

Picasso a une voix criarde et un ton qui n'invite pas à la rigolade. C'est probablement le prof le plus craint de l'école. Ce petit homme chauve a des opinions tranchées et il les impose sans se gêner. Mais il nous pousse aussi à toujours développer notre talent, à toujours nous dépasser et c'est là toute sa force. Une fois que les règles sont établies, on peut se permettre les idées les plus folles. J'ai la chance de l'avoir comme prof depuis trois ans. Il est devenu mon mentor. Ou plutôt mon super-héros, puisqu'il vient constamment à ma rescousse. Derrière ses lunettes (deux cercles rouge écarlate !) se trouvent des yeux pétillants d'intelligence et de passion, qui scrutent tous mes travaux avec vigilance, cherchant ce qui pourrait être amélioré. Ses commentaires sont toujours judicieux. Il n'est peut-être pas sympathique, mais il me donne l'heure juste. Si un jour je réalise mon rêve, si un jour je deviens une peintre réputée, ce sera en partie grâce à lui.

* * *

Devenir une peintre renommée… Ça semble fou ? Peut-être. Mais je n'arrive pas à voir les choses autrement. C'est plus fort que moi : c'est ce que je veux faire, et je le ferai. Thibaud aussi veut devenir peintre. Il est fou des œuvres de Dali (c'est celui qui a peint des montres molles, l'artiste un peu fou qui portait une drôle de moustache). Moi, je craque plutôt pour Picasso (le vrai !), mais aussi et surtout pour Botero, un peintre qui met toujours en scène des personnages dodus, boursouflés, ronds comme des ballons. J'aime ce peintre parce qu'il voit le corps autrement. Tout ce qui concerne le corps m'interpelle. Le mien n'est pas comme celui des autres. Parce que je ne peux pas le bouger comme je le voudrais, je le trouve lourd, volumineux. Si j'étais debout, il serait long et mince. Je pourrais courir, sauter. Alors que je suis plutôt obligée d'être toujours dans la même position, assise, ramenée sur moi-même, comme recroquevillée. J'ai l'impression d'être une grosse boule. Et je roule, puisque c'est ma seule façon de me déplacer. Je roule comme un ballon. Un ballon rond. Rond comme les personnages de Botero.

Oui. Oui, j'aimerais bien qu'un jour mon travail artistique soit reconnu. Comme celui de Botero. Je peins des corps, moi aussi. Des corps insolites, difformes, anormaux. Des corps un peu comme le mien. Et je sais que j'ai du talent. Si mes parents étaient encore en vie, je suis certaine qu'ils m'encourageraient à continuer. Je suis certaine qu'ils seraient fiers de moi. Mon père et ma mère travaillaient dans un musée avant de quitter ma vie. Un grand musée rempli d'œuvres fascinantes (c'est ce que Grand-Théo m'a raconté). C'est là qu'ils se sont connus. Je pense qu'ils ont vécu une belle histoire d'amour, mes parents. Je dis ça parce que Grand-Théo m'a souvent parlé de leur rencontre. C'est l'histoire toute simple de deux personnes qui partageaient la même passion et qui l'ont découvert à force de travailler ensemble. Parfois, je me dis que c'est un peu ce qui m'arrivera avec Thibaud. Mais, pour ça, il faut qu'il en soit conscient. En ce moment, j'avance toute seule dans un sens unique amoureux. Il faut vraiment que je trouve le courage de lui parler. Pour enfin avancer avec lui.

* * *

Sans rouspéter, nous obéissons aux ordres de Picasso comme un troupeau de moutons bien discipliné. Le local d'arts plastiques croule sous les accessoires et les éléments de décor. Picasso a mis le paquet en nous imposant des modèles que nous nous sommes acharnés à reproduire avec différents matériaux : boules disco en papier aluminium, grands panneaux sur lesquels nous avons peint d'immenses cercles et spirales, lampes créées avec des bouteilles de vin, meubles décoratifs en papier mâché enduit de laque aux couleurs criardes, mobiles fabriqués avec de vieux disques en vinyle…

Thibaud s'assoit à côté de moi. Dom et Fred sont juste devant, tout près d'Antoine (mon copain sculpteur). La fébrilité qui règne dans la classe est palpable, tellement nous sommes tous excités. Le bal aura lieu dans deux semaines et ça se sent ! Picasso tente de nous rappeler à l'ordre avec sa voix de ténor :

— Mesdemoiselles, messieurs, un peu de calme, je vous prrrrrie.

Il nous regarde en nous désignant du doigt un par un, ce qui a pour effet de nous faire taire et de nous calmer.

— Cherrrrrs élèves, voici venue l'heurrrrre de fignoler notrrrrre majestueux décorrrrr. Je comprrrrrends votrrrrrre excitation, je peux même vous dirrrrre que je la parrrrrtage. Mais il nous rrrrreste des petits détails à soigner si nous voulons être prrrrrêts à temps. Le bal aurrrrrra lieu dans peu de temps, vous savez ce que vous avez à fairrrrre, alorrrrrs, au boulot !

Nous travaillons tous en équipe sur un projet particulier. Je me dirige donc vers mon plan de travail avec mes coéquipiers. Thibaud, Antoine et moi

fabriquons une immense structure en métal qui ser-
vira d'éclairage central.

— Alors, Thibaud, dit Antoine, est-ce que t'as
enfin invité une fille au bal?

Ouf! LA question choc! Je ne l'avais pas vue
venir, celle-là! Je retiens mon souffle en attendant
la réponse de Thibaud.

— Pas encore, non, fait-il en se mettant à rougir
comme un homard bouilli.

— T'as quelqu'un en vue? insiste Antoine.

— Peut-être... (il semble hésiter), mais j'ai pas
vraiment envie d'en parler maintenant.

— Je savais pas que t'avais des choses à
cacher?

Cette phrase idiote, c'est moi qui viens de la
lancer. Et elle me vaut une réplique assez prompte
de Thibaud:

— On a tous des secrets, Clara. Pis, parfois, on
aime mieux les garder pour soi.

Il se retourne, piqué au vif. Il est clair qu'il ne
veut plus en discuter. Ni avec moi ni avec Antoine.
Ce dernier me regarde en ayant l'air de dire: « Vite!
changeons de sujet. » Heureusement, Fred nous
rejoint, ce qui fait diversion.

— J'ai terrrrrminé mon trrrravail! déclare-
t-elle. Picasso m'envoie vous demander si vous àvez
besoin d'aide.

Fred s'amuse toujours à imiter la façon de parler
de Picasso... Elle roule les *r* comme lui et ça me fait
mourir de rire! Faut dire que moi aussi, même si
j'aime bien Picasso, il m'arrrrrive de le fairrrrre...

— Cool ! T'es la bienvenue ! que je lui dis.

Thibaud saute sur l'occasion pour s'échapper en entraînant la nouvelle venue à qui il explique le travail à terminer. Pour ma part, je me creuse les méninges. La réaction de Thibaud ne lui ressemble pas. C'est habituellement un garçon calme et posé, qui rit de mes farces plates comme de mes bons coups de gueule. D'où lui vient cette gêne ? Est-ce que j'aurais vu juste, un peu plus tôt ? Le clin d'œil dans le corridor, son refus de répondre à Antoine devant moi, son éloignement rapide avec Fred... Est-ce que... ? Est-ce qu'il veut m'inviter au bal ? Ouah ! tout va trop vite dans ma tête. Machinalement, je continue à travailler avec Antoine, mais mes pensées vont dans tous les sens : « Thibaud Desjardins, si tu savais dans quel état tu me mets ! Si tu savais à quel point j'aimerais avoir le courage de te parler, de te dire que tu me fais franchement capoter, que je suis folle de toi, que je te vois dans ma soupe, que... que je me trouve nulle. » À quoi ça sert d'être aussi confiante dans la vie de tous les jours, de savoir me défendre contre n'importe quoi et n'importe qui (même François Janvier !) si je ne suis même pas foutue d'avouer au seul garçon qui compte que j'ai le béguin pour lui ?

Dom s'approche de moi.

— Ça va, toi ? me demande-t-elle. T'as l'air bizarre.

Cette fille a la capacité de lire sur mon visage. Elle le sait toujours quand il y a quelque chose qui cloche avec moi, même si je fais tout mon possible pour ne rien laisser paraître. Je suis tellement bouleversée en ce moment que je ne réussis pas à cacher mon trouble. Je VEUX être la fille que Thibaud invite au bal. Je le VEUX ! Je LE VEUX ! JE LE VEUX ! Je ne peux plus garder tout ça pour moi. Et je n'ai pas envie de mentir à l'une de mes meilleures amies. « Est-ce que je vais bien, ma chère Dom ? La réponse est NON ! Je dois te parler. Te dire que Thibaud est l'amourrrrr de ma vie. Si je partage mon secret avec toi, ça me donnera peut-être du courage pour aller vers lui. Tu pourras peut-être me conseiller ? » Vider mon sac, ça pourrait me faire du bien, non ? Ce n'est pas parce que Thibaud veut conserver son secret pour lui tout seul que je dois faire la même chose de mon côté.

Bon.

C'est décidé.

Je fonce.

— Dom, t'es mon amie, je peux pas te mentir, que je lui chuchote. Je pense que j'ai besoin de te parler…

Les yeux de Dom scintillent comme des étoiles. Sa curiosité est bien éveillée.

— Tu sais que tu peux tout me dire, Clara. Tu sais ça, hein ?

Oui, je sais que je peux compter sur elle. Je lui déballe donc aussitôt tout ce que j'ai sur le cœur.

★ Les yeux de Dom sont gros et ronds comme deux lunes bien pleines.

— Thibaud ? Thibaud Desjardins ? ne cesse-t-elle de répéter comme un CD égratigné qui saute toujours au même endroit.

— T'en connais un autre ? que je lui réponds sur un ton qui se veut désinvolte, mais qui montre au contraire que je suis sur mes gardes.

— Eh ben, là, ma belle, je tombe sur le cul, dit-elle en rigolant haut et fort.

Sa réaction me déstabilise un peu. Je m'attendais à ce que ma confession la surprenne, mais de là à ce qu'elle glousse comme une dinde... Elle doit sentir mon malaise parce qu'elle s'empresse d'ajouter, en retrouvant son calme :

— Ben quoi ? C'est toute une nouvelle que tu m'apprends là ! Clara Destroismaisons-Parenteau *love*s Thibaud Desjardins !

— Ça t'amuse ? que je lui demande, ébranlée par son attitude.

Dom me jette alors un regard hyper sérieux tout en posant une main sur mon épaule.

— Non, ça ne m'amuse pas. Mais ça me surprend. Je pensais que les gars t'intéressaient pas.

— T'as raison, les gars ne m'intéressent pas. Mais lui, oui.

Elle m'observe soudain comme si j'étais une bête de cirque.

— Veux-tu bien me dire ce que tu lui trouves ?! Y est assez ordinaire…

Ordinaire ? Thibaud Desjardins, ordinaire ? Dom est folle…

— Thibaud, c'est pas un gars ordinaire, justement. C'est même pour ça qu'il me plaît autant, que je lui rétorque.

Je me lance dans un plaidoyer en faveur de Thibaud. J'explique à Dom à quel point il est calme, sérieux, mais moqueur aussi, ouvert aux autres et respectueux. Je lui dis que lui et moi partageons la même passion pour la peinture, la sculpture et les arts en général. Je lui parle de ses yeux, de son sourire, du grain de beauté qu'il a près du nez, de sa démarche nonchalante, de sa façon de s'habiller (il a une garde-robe super-originale pour un garçon : des jeans rouges, des chemises à pois, des casquettes anglaises…). Je parle tellement vite que les mots qui se forment dans ma bouche se bousculent à la sortie. Dom me dévisage.

— Wow ! tu t'es vraiment entichée de ce gars-là ! Je ne t'ai jamais vue comme ça !

— Ben… je n'ai jamais ressenti ça pour un gars avant lui…

— Et tu vas faire quoi maintenant ? me lance-t-elle.

— Que veux-tu que je fasse ?

— Eh ben, te déniaiser et lui parler !

— Facile à dire… Et je fais ça comment ?

Elle me regarde le plus sérieusement du monde.

— Ben, tu vas le voir et tu lui demandes s'il veut t'accompagner au bal.

— C'est tout?

— C'est tout, oui. C'est aussi simple que ça.

Dom et moi n'avons manifestement pas la même notion de la simplicité.

Cela fait plus de dix minutes que nous sommes dans les toilettes à jacasser sur mes états d'âme amoureux quand une surveillante entre et nous demande de retourner en classe. Nous devrons poursuivre notre conversation plus tard. Tout juste avant d'entrer dans la salle, je regarde Dom dans le blanc des yeux et lui fais promettre de garder tout ça pour elle. Pas un mot à qui que ce soit. Pas même à Fred. Du moins pour l'instant. Fred est aussi l'une de mes meilleures amies, mais je veux moi-même choisir le moment pour le lui annoncer.

En entrant dans la classe, je vois Antoine, Thibaud et Fred affairés à démêler un paquet de petites lumières qui sont accrochées les unes aux autres. Ça semble être un vrai casse-tête. Thibaud est si concentré qu'il ne m'entend même pas arriver. Dom, qui se dirige vers son plan de travail, me fait signe de sourire (je dois avoir l'air d'un écureuil avec un balai dans le derrière, tellement je suis tendue). Je tente donc d'adopter une attitude décontractée (du moins, je fais les efforts nécessaires pour y arriver!) et je m'approche de mes amis.

★ La piscine du quartier est à quelques rues de chez moi. Il y a un arrêt d'autobus juste devant et un accès pour les fauteuils roulants, alors je ne me prive pas pour y aller. La piscine n'est pas très fréquentée en fin d'après-midi dans la semaine ; c'est pour ça que je choisis ce moment la plupart du temps. J'y vais presque tous les jours, tout de suite après l'école. À cette heure, le vestiaire est souvent désert et je peux prendre toute la place que je veux sans embêter personne avec mon attelage. La fin de semaine, cependant, c'est une autre histoire. Il y a tellement de monde que j'ai l'impression de gêner. J'essaie d'éviter les samedis et les dimanches, mais, de temps en temps, j'y vais avec mon voisin Pierrot. Lorsqu'il était plus petit, il m'arrivait de le garder quelques heures pour dépanner sa mère. Maintenant, il n'a plus besoin de gardienne, mais je m'amuse bien avec lui. Et comme il est devenu un excellent nageur, nous nous donnons parfois rendez-vous dans le couloir de natation pour discuter technique et comparer nos prouesses.

Cet après-midi, je suis vraiment toute seule. Il n'y a pas un chat, ni dans le vestiaire ni dans la piscine. Je vais pouvoir nager lentement, sans me soucier du nageur devant ou derrière moi, comme c'est habituellement le cas. Yves, un des sauveteurs qui travaillent ici, sort du grand bureau vitré en me saluant.

— Allô, Clara ! T'en as de la chance aujourd'hui : un sauveteur pour toi toute seule !

— J'ai le droit de faire des bêtises ?

— T'as pas l'intention de te noyer, j'espère ?

— Non, ça fait pas partie de mes plans.

— Heureux de l'apprendre ! Allez, la piscine est toute à toi.

Une piscine déserte, un sauveteur expérimenté qui veille sur moi : c'est exactement le genre d'environnement dont j'ai besoin pour réfléchir. Parce que c'est bien ce que je suis venue faire ici : r-é-f-l-é-c-h-i-r. Nager ? C'est un prétexte. Réfléchir, c'est la vraie raison pour laquelle j'ai mis mon maillot. Je ne peux pas expliquer pourquoi : j'ai toujours réglé mes problèmes en faisant des longueurs de piscine. Ça peut sembler curieux, mais aussitôt que je me retrouve dans l'eau, mon cerveau s'apaise, mes idées deviennent plus claires, et plus je nage, plus je trouve des solutions. Dom, qui fait de la danse depuis plusieurs années, me dit que c'est la même chose pour elle. Aussitôt qu'elle enfile ses chaussons, elle se débarrasse de ses tracas. Ça lui donne plein d'énergie et lui permet de prendre de meilleures décisions.

Cet après-midi, le problème que j'ai à régler, c'est mon histoire à sens unique avec Thibaud Desjardins. Et ce n'est pas un mince problème. Depuis que j'ai confié mon secret à Dom, je me rends bien compte que la seule chose possible, c'est de parler à Thibaud. Je pourrais attendre qu'il le fasse lui-même, mais plus le temps passe, plus je me dis qu'il ne le fera peut-être jamais. Thibaud est un gars assez réservé. Il pourrait être amoureux de moi sans jamais me le dire ! Et le bal est dans moins de deux semaines ! J'en ai marre de rêver à lui depuis aussi longtemps sans que rien ne soit encore arrivé. J'accumule plein de petits indices pour me convaincre qu'il a lui aussi des sentiments pour moi, mais je me trompe peut-être et, dans ce cas-là, eh bien, ça veut dire que j'ai faux sur toute la ligne. C'est ridicule de m'en faire autant ; si je prenais mon courage à deux mains et que je lui avouais mes sentiments, en quelques minutes, mon angoisse serait dissipée. Parce qu'il n'y a pas trente-six réponses possibles à mon questionnement : soit il est fou d'amour pour moi lui aussi, et nous allons ensemble au bal ; soit il ne veut rien savoir de moi, et je passe à autre chose. La deuxième possibilité me fait peur, naturellement. Mais le doute est en train de me tuer à petit feu et je préfère connaître la vérité plutôt que de jouer à cache-cache avec ce que je ressens.

Je fais des longueurs de piscine les unes après les autres. Ça me fait du bien. Je sens mon esprit se détendre et mon cœur se calmer. C'est bon aussi pour mes jambes. Mes chevilles sont souvent enflées du fait que le sang circule mal. Quand je me retrouve à l'horizontale dans l'eau, j'ai l'impression que l'exercice leur donne un petit coup de pouce.

Il y a de plus en plus de remous dans la piscine. Je sors la tête de l'eau et je me rends compte que je ne suis plus seule.

— Salut, la grande sportive !

Grand-Théo nage vers moi. Il a sur la tête un bonnet de bain jaune fluo qui lui donne un drôle d'air et il porte son vieux maillot Speedo défraîchi qui lui moule l'arrière-train.

— T'as vraiment un look d'enfer !

— Je te remercie. C'est pour mieux pogner avec les petites dames du quartier.

— Elles sont plutôt rares ici.

— On ne sait jamais. Il pourrait en arriver une !

— Et tu penses qu'avec ton petit bonnet jaune, tu vas faire fureur ?

— Tous les goûts sont dans la nature. Et je déteste avoir de l'eau dans les oreilles.

Ça fait soixante-cinq ans que mon grand-père n'a pas peur du ridicule. Mais même s'il vient rarement nager, il serait peut-être temps qu'il renouvelle sa garde-robe aquatique.

— Qu'est-ce que tu fais ici ? T'es pas à la boutique ?

— C'était tranquille. Et puis, je t'ai vue sortir de l'autobus. Comme je me doutais bien que tu venais ici, j'ai décidé de fermer la boutique et de venir te rejoindre.

— C'est l'fun être son propre patron !

— Ça n'a pas que des désavantages, en effet !

Le travail de Grand-Théo n'est pas toujours facile. Les tailleurs sont de moins en moins populaires, puisque tout le monde s'habille en prêt-à-porter. Je ne sais pas comment il fait pour survivre avec toutes les chaînes de magasins de vêtements qui existent !

— J'ai eu un visiteur ce midi.

— Ah oui ? De la visite que je connais ?

— Je crois que oui. Il m'a dit qu'il était un de tes amis. Il s'appelle Thibaud.

— Thibaud Desjardins ?

Je bois une tasse.

— Oui, c'est ça. Thibaud Desjardins.

Je tousse à m'en cracher les poumons.

— Hum… hein ? Hum… quoi ? Il est passé à la boutique ? Ce midi ?

C'est vrai qu'il n'était pas à la cafétéria.

— Il voulait faire faire des petits ajustements sur son veston pour le bal.

— Ah oui ? Et il est comment ?

— Thibaud ou le veston ?

Très drôle.

— Le veston, il est comment ?

— Il m'a fait promettre de ne rien te dire.

— Ben, voyons ! Pourquoi ?

— Il veut peut-être te faire une surprise ?

J'avale une seconde tasse.

— Hum… hum… Me faire une surprise ? C'est ça qu'il t'a dit ?

— Ben, s'il ne veut pas que je t'en parle, ça doit être pour ça, non ?

— Bon… euh… tu peux même pas me dire quelque chose ? La couleur, par exemple ?

— J'ai promis.

Et grand-père est un homme de parole. Je ne saurai rien, c'est garanti, même si je le harcèle parce que je meurs d'envie de savoir…

— Disons qu'il a du goût. Ça, je peux bien te le dire.

— Tu m'apprends rien, je le savais déjà.

— Ah oui? Comment ça?

— Euh... ben... il s'habille jamais comme les autres. Il a toujours des vêtements excentriques...

— T'as remarqué comment il s'habille?

— Ben, oui, pourquoi? Toi, tu remarques toujours comment les gens sont habillés...

— Oui, mais, moi, je suis couturier. Ça vient avec le métier! Mais toi...

— Quoi, moi?

— Toi, tu n'es pas couturière, alors...

— Alors, j'ai un bon sens de l'observation, c'est tout.

— C'est ton petit ami?

BANG! La phrase qui tue.

— C'est une enquête ou quoi? Tu travailles pour la police maintenant?

— Je voulais juste savoir...

Ce n'est pas mon petit ami, mais si tu savais comme je voudrais que ce soit le cas!

— Non, ce n'est pas mon petit ami. T'es trop curieux, toi!

— C'est mon seul défaut...

— Dis-moi, t'es venu ici pour nager ou pour faire la conversation?

— On peut faire les deux?

Je plonge la tête dans l'eau et recommence à nager rapidement. Non, on ne fera pas les deux.

Surtout si c'est pour t'amuser à me tirer les vers du nez, Grand-Théo.

* * *

J'ai nagé un peu plus d'une heure et ça m'a fait le plus grand bien. Pendant ce temps, mon grand-père a pataugé tout en parlant avec Yves, le sauveteur. On a eu la piscine rien que pour nous deux pendant près d'une heure : ça, c'est un petit luxe bien agréable !

Dans le vestiaire se trouve un autre de ces petits luxes qui me font apprécier la vie : un grand bain à remous. J'ai toujours adorrrrrrrré les bains à remous. La chaleur, ça me rend dingue ! L'été, je peux passer des heures à peindre dans la cour, en plein soleil. Le reste de l'année, ça me prend aussi ma dose de chaleur, alors je jette mon dévolu sur les bains chauds. C'est pour ça que, chaque fois que je viens à la piscine, après avoir dégourdi mon corps courbaturé, je reste quelques longues minutes à mariner dans cette grande baignoire pleine d'eau chaude bouillonnante.

Les yeux fermés pour mieux me détendre, j'entends tout près de moi quelqu'un toussoter. Je regarde la fille qui vient d'entrer dans le bain avec moi. Elle me sourit.

— Ça te gêne qu'on mijote ensemble ?

Je souris à mon tour.

— Pas du tout ! Tu arrives de ton entraînement ?

— Oui, je suis crevée !

Marie Janvier vient souvent à la piscine, elle aussi. Elle fait partie de l'équipe de meneuses de claques de l'école. En fait, elle en est la capitaine. Cette fille est drôlement en forme, super-dynamique, et elle transmet cette énergie à tous ceux qui l'entourent : quand on est près d'elle, on se sent secoué, stimulé d'un seul coup. Elle est tout le contraire de son frère. Oui, son frère… Son frère jumeau, pour être plus précise. Parce que Marie Janvier n'est nulle autre que la sœur jumelle de l'insupportable François Janvier.

— Alors, comment ça avance pour le bal ? La déco, tout ça, ça va être chouette ?

— Je pense que oui. En fait, j'en suis pas mal certaine. Picasso est un tyran, mais il a de maudites bonnes idées.

— Tu y vas avec qui ?

Je déglutis…

— Personne.

— Personne ? Ça me surprend !

— Ça te *surprend* ?

— Ben, oui. T'es probablement une des plus belles filles de l'école. Et une des plus cool aussi.

— Moi ? Je suis cool ? Tu te trompes de fille, Marie.

— Et moi, je pense que tu te connais mal ! T'es drôle, t'as du caractère, c'est super, ça !

— Justement, j'ai du caractère. Il n'est pas né, celui qui pourra m'endurer !

— T'exagères pas un peu, là ?

— Je pense pas, non. De toute façon, les gars de l'école, ils sont tous cons et immatures.

— Ça, je suis d'accord avec toi. Moi, je n'ai pas pris de chances, j'ai demandé à mon cousin de m'accompagner. Il a dix-neuf ans et il est vraiment beau. Tu verras, quand on arrivera au bal, lui et moi, bras dessus, bras dessous, toutes les filles vont pâlir d'envie!

— Je ne manquerai pas de l'observer en douce! Promis!

Marie et moi, nous poursuivons la conversation encore quelques minutes, puis nous sortons du bain. Il y a maintenant un peu plus de monde dans le vestiaire et je ne veux pas traîner. Marie n'est pas vraiment une amie proche, mais c'est franchement agréable de discuter avec elle. Tout en séchant mes cheveux, je l'imagine qui arrive au bal avec son séduisant cousin. Évidemment, je ne peux pas faire autrement que de me voir, moi aussi, faisant mon entrée main dans la main… avec Thibaud Desjardins. Cette image fait battre mon cœur à tout rompre.

Oh! my God! Je suis vraiment hantée!

Habitée!

Obsédée!

Par Thibaud Desjardins…

Vite, je dois faire quelque chose avant de devenir folle pour de bon!

★ Si la rumeur de bataille de bouffe qui fait le tour de l'école depuis mardi dernier est vraie, c'est ce midi que l'événement devrait avoir lieu. J'arrive à la cafétéria qui est déjà bondée d'élèves. Dom et Fred sont là. On sent que quelque chose cloche. Comme s'il y avait de l'électricité dans l'air. Les surveillants sont plus nombreux que d'habitude et ils sont tous aux aguets, comme si une guerre allait éclater. Mme Ladouceur, la directrice, marche de long en large près des caisses. Certains élèves la saluent après avoir payé leur repas. Elle leur fait un petit sourire, mais son air crispé trahit son inquiétude. C'est évident qu'elle n'est pas ici pour brasser la sauce à spaghettis ou pour distribuer le pain à l'ail (c'est ce qui est au menu).

— *Shit!* L'ambiance est trop bizarre ici… C'est quoi, tout ce monde-là?

Celui qui vient de parler, c'est Victor, un garçon que je connais depuis le primaire. Il attend lui aussi à la file, tout juste derrière moi. Il semble nerveux.

— T'as l'air paniqué, ça va? que je lui demande.

Victor reste muet pendant quelques secondes.

— Je sais pas si ça va, mais j'trouve qu'il y a vraiment trop de monde ici, finit-il par répondre.

— Ben, c'est à cause de la B. B., lui dis-je.

— Une bataille de bouffe? Ici, ce midi?

Il paraît à la fois surpris et rassuré par cette explication.

— Youhou, Victor ! intervient Dom, qui fait la file elle aussi. Tu dois ben être le seul qui en a pas entendu parler ! Ça fait pas mal de jours que la rumeur court.

— Non, j'étais pas au courant, réplique-t-il. J'avais d'autres chats à fouetter cette semaine…

Il balaie la cafétéria du regard, visiblement abasourdi par ce qu'il vient d'apprendre.

— Tu penses que quelqu'un va oser commencer une bagarre ce midi ? ajoute-t-il. Mme Ladouceur a déployé toute une armée de surveillants !

— Ouais, fait Dom. T'as vu le nombre ?

— J'en ai compté neuf, précise Fred en passant à la caisse. Y en a jamais eu autant en même temps et au même endroit !

Derrière le comptoir, les cuisiniers semblent eux aussi à l'affût de ce qui pourrait se passer. Habituellement, ce sont des « p'tits comiques » qui nous servent, en plus de notre assiette, des blagues qu'ils sont les seuls à trouver drôles. Mais, ce midi, il n'y en a pas un qui nous adresse la parole. Ils remplissent nos assiettes comme des automates et échangent des regards inquiets.

Je rejoins Dom et Fred à notre table habituelle. Autour de nous, les élèves parlent haut et fort. Un des surveillants, Raymond le Balaise (faut lui voir la carrure, à ce gars-là !) passe derrière moi en sifflotant. De tous ceux qui sont présents ce midi, c'est le seul qui affiche un air détaché.

— Tout va bien, les filles ? Le spaghet est bon ? nous lance-t-il.

— C'est un spaghet du tonnerre ! que je lui réponds avec un sourire ironique. Jamais mangé quelque chose d'aussi goûteux !

Son gros rire gras résonne dans la cafétéria. Il nous regarde toutes les trois d'un œil complice, sachant très bien, tout comme nous, que la bouffe de la cafétéria est généralement infecte, puis il continue sa promenade entre les tables.

Tout au fond, près de la grande baie vitrée, le ton commence à monter. François Janvier est debout avec son plateau entre les mains et se trémousse comme un (très) mauvais danseur de salsa devant ses amis. Certains sifflent pour l'encourager ; d'autres applaudissent. Mme Ladouceur se dirige d'un pas ferme vers cet attroupement, suivie d'un surveillant qui montre les crocs comme un chien de garde. Au même moment, Thibaud et son copain Jules arrivent près de nous.

— Ouf ! Y a de l'électricité dans l'air ! s'exclame Jules.

— Vous avez vu Janvier dans le fond de la café ? C'est vraiment le roi des cons ! ajoute Thibaud.

Tous les regards sont tournés vers Janvier (alors que le mien est resté braqué sur Thibaud depuis son arrivée). Je ne tarde pas cependant à regarder à mon tour « le roi des cons » et ses amis, car la scène vaut le coup d'œil. Janvier, maintenant debout sur une table, scande à tue-tête : « Peuple de l'école Cœur-Vaillant, baissez les bras, il n'y aura pas de bataille

de bouffe ce midi ! Je suis là pour veiller sur vous. »
Autour de lui, ça pouffe de rire. Même Raymond le
Balaise, qui s'approche lentement du rassemble-
ment, rigole dans sa barbe. Mme Ladouceur, elle,
ne rit pas, pas plus que le surveillant-aux-crocs-de-
doberman qui la suit.

— Ça va péter. Je vous dis que ça va péter ! déclare Jules.

Derrière ses minuscules lunettes rondes, ses
yeux ont l'air de deux volcans en éruption.

— On dirait que tu VEUX que ça éclate ! s'offusque Fred.

— Tu veux pas voir ça ? l'interroge Jules. Tu veux
pas voir de la bouffe voler au-dessus de nos têtes ?

Fred semble franchement choquée par ces
paroles.

— Non, j'y tiens pas particulièrement, réplique-
t-elle.

— Eh ben, t'es probablement la seule en ce
moment qui a pas envie de voir ce spectacle !

Comme je ne suis pas emballée à l'idée de recevoir une platée de nouilles sur la tête, je prends la
défense de mon amie sans hésiter :

— Non, elle est pas la seule. J'ai pas envie moi
non plus d'être témoin de « ce spectacle », comme tu
dis.

— Pareil pour moi, affirme Thibaud.

Je me tourne vers lui et j'ai droit à un nouveau
clin d'œil. Une fois de plus ébranlée par ce geste
(on dirait que ça devient une manie chez lui), je lui
souris en essayant de paraître insouciante. Ce clin

d'œil, c'est un indice de plus qui renforce la décision que j'ai prise hier dans le vestiaire de la piscine. Parce que j'ai décidé de lui avouer mes sentiments ! Mais le moment est mal choisi pour lui déclarer mon amour : Dom vient de recevoir sur l'épaule un morceau de pain à l'ail !

— Merde ! lâche t elle, fâchée. C'est qui, le crétin qui vient de m'envoyer ça ?

Sa question reste sans réponse. Un autre bout de pain tombe près de mon plateau, comme s'il arrivait du ciel. L'odeur de beurre à l'ail qui s'en dégage me soulève le cœur. Jules est fébrile. Il mâchouille machinalement une mèche de ses longs cheveux (un tic qu'il a toujours eu et qui me dégoûte franchement !). Son enthousiasme me fait un peu peur. Thibaud tente de le raisonner : il n'y a rien d'excitant à se faire balancer du pain à l'ail sur la tête. Mais Jules ne l'écoute pas. Il se prépare même à répliquer avec une grande nouille dégoulinante de sauce qu'il retire de son assiette de spaghettis encore fumants.

— T'es pas un peu con ? lui hurle Fred.

— Yo ! Fais pas l'épais, Jules Carrier, gueule Thibaud en tentant de retenir le bras de son ami.

Mais, manifestement, Jules Carrier n'en a rien à foutre, de tous ces avertissements. Il réussit à libérer son bras et lance son projectile sur une élève assise à la table voisine.

En moins d'une minute, les attaques fusent de partout. Mme Ladouceur et son armée ont peine à refouler les assaillants. La nourriture arrive des quatre coins de la cafétéria. Et il y en a pour tous les goûts : des légumes enduits de trempette, des cuillerées de pouding au riz collant, des bouts de pain graisseux, des noyaux de pêches visqueux… Janvier et sa bande se promènent entre les tables en beuglant : « Peuple de Cœur-Vaillant, jetez vos armes ! » Ils s'esclaffent comme des imbéciles. Il est clair que ce spectacle leur plaît, mais, contrairement à ce que tout le monde avait prévu, aucun d'eux ne participe au combat. Ils ont tous les mains bien propres. Lorsqu'ils arrivent près de moi, Janvier me lance :

— Tu veux un coup de main, ma poulette ? Tu arriveras pas à sortir ton tape-cul d'ici sans mon aide précieuse !

C'est vrai que le plancher commence à ressembler à une mare aux canards, mais JAMAIS je ne permettrais à François Janvier de me sortir de là.

— Plutôt crever que de laisser tes sales pattes toucher mon fauteuil.

— Tu préfères mourir sous une pluie d'aliments poisseux plutôt que d'accepter l'aide du chevalier servant que je suis ?

Un trognon de pomme plein de salive atterrit sur mon épaule. Janvier me regarde, amusé.

— Tant pis pour toi, Clara. Mon offre vient d'expirer.

Fred, debout avec mon plateau au bout des doigts, et Thibaud, les mains agrippées aux poignées de mon fauteuil, me sortent de derrière la table sans que je puisse répliquer quoi que ce soit. En moins de deux, je me retrouve dans le corridor.

Fred a une rondelle de banane collée dans le dos ; Dom, des miettes de pain dans les cheveux. Thibaud, tout comme moi, a été épargné. Nous sommes une bonne cinquantaine d'élèves, planqués derrière la baie vitrée à l'extérieur de l'école, à regarder ce qui se passe dans la cafétéria. L'armée de Mme Ladouceur a pris la situation en main, et les attaques ont cessé. On voit la directrice s'adresser aux élèves avec un porte-voix sur l'embouchure duquel elle plaque sa main à quelques reprises pour parler aux surveillants qui l'entourent. Un peu plus loin, l'un d'entre eux bloque la porte de la cafétéria, empêchant quiconque d'y pénétrer ou d'en sortir. Nous avons déguerpi juste au bon moment. Deux autres surveillants ont déjà isolé les « éléments perturbateurs » (c'est-à-dire les élèves qui ont foutu le bordel) dans un coin, près du local du concierge. Jules fait partie de ceux-là. Il affiche un air triomphant.

— Je le trouve vraiment stupide de jouer les fiers-à-bras, dis-je.

— Je partage ton avis, répond Dom.

Thibaud ne dit rien. Après quelques minutes cependant, je l'entends murmurer :

— Je sais pas ce qui lui est passé par la tête. Ça lui ressemble pas.

Personne ne fait de commentaire. Nous continuons à observer ce qui se passe sans dire un seul mot.

* * *

La cafétéria est dans un état lamentable. Toujours derrière la baie vitrée, Dom, Fred, Thibaud et moi pouvons nettement lire la colère de M. Maheu sur son visage. Il se déplace entre les tables, bousculant les chaises et donnant des coups de pied. Mme Ladouceur vient près de lui et pointe du doigt les coupables. Le concierge se dirige alors vers son local dont il sort des vadrouilles, des balais et des sacs de plastique. Les élèves responsables du désastre enfilent des gants et se mettent au boulot. De loin, on voit Jules qui prend un balai à contrecœur.

— Allez, on se tire d'ici, dit Thibaud. Y a plus rien à voir.

Il s'éloigne sans nous attendre.

— Thibaud a raison, y a plus rien à voir ici.

Fred marche dans sa direction et le rattrape. Dom et moi attendons encore quelques minutes.

Un peu plus loin de nous, François Janvier et ses fans sont assis sur le gazon, près du stationnement. À notre grande surprise, Thibaud et Fred s'approchent d'eux.

— Mais qu'est-ce qu'ils font ? Où ils vont ? me demande Dom sur un ton hésitant.

— Je sais pas trop, mais ils foncent tout droit vers tu-sais-qui !

Sans nous consulter, nous les suivons. Dom court en criant leurs noms. Lorsque je les rejoins, Thibaud est debout devant François Janvier.

— C'est ta faute, tout ça ! s'exclame-t-il.

— De quoi tu parles ? J'ai rien fait ! beugle François Janvier en se levant.

— Tu parles que t'as rien fait ! Toi pis ta gang, vous avez provoqué tout le monde !

— On a rien provoqué du tout, on a même lancé un appel au calme !

Janvier se retourne, moqueur, vers ses amis qui se bidonnent en se tapant les cuisses. On dirait une bande de vieux singes hystériques.

— T'as fait exprès pour échauffer la salle. Ça te ressemble tellement ! balance Fred à Janvier en venant se placer devant Thibaud.

Je trouve que ma copine a soudainement un peu trop de cran. Qu'est-ce qui lui prend ?

— C'est quoi, là ? Un complot ? rétorque Janvier. Je vous dis que j'ai rien fait de mal !

— PIS LE SHOW QUE T'AS DONNÉ, C'ÉTAIT RIEN ÇA ? hurle Fred.

— On se calme, ma poulette, on se calme ! Depuis quand mettre de l'ambiance, c'est un crime ?

Ma poulette ? Encore ! Décidément, il fait une fixation sur le poulailler !

— À cause de toi… commence Thibaud.

— À CAUSE DE TOI, JULES EST PRIS À L'IN-TÉRIEUR DE LA CAFÉTÉRIA POUR FAIRE DU MÉNAGE ! s'écrie Fred.

François Janvier la regarde, médusé. Ce n'est pas que je veuille prendre le parti de ce garçon, mais je suis surprise par l'accusation de Fred. Si Jules se tape la corvée de nettoyage, c'est sa faute à lui et à lui seul : il a participé à la bataille sans que personne ne l'y incite, au contraire ! On l'a tous vu quand il a largué son spaghetti sur la tête d'une élève. Même si je le déteste passionnément, je ne vois pas ce que Janvier a à voir là-dedans.

— Fred, doucement, ma grande… que je lui dis en hésitant.

Elle se retourne vers moi, visiblement insultée.

— Toi ? Toi, tu vas me demander de me retenir devant ce débile léger ?

— C'est moi, ça, le débile léger ?

La tension monte. Janvier est choqué. Fred ne lui répond pas. Je tente de calmer le jeu.

— C'est pas ça, Fred. C'est juste que…

— Fred, intervient Dom, si Jules est dans cette situation, c'est parce qu'il s'est mis lui-même les deux pieds dedans.

Fred nous regarde, interdite. Thibaud la prend par le bras et lui fait faire demi-tour.

— Allez, viens, lui dit-il. On se tire d'ici.

— C'est ça, barrez-vous ! leur crie Janvier en se rassoyant.

Dom et moi échangeons un regard inquiet. Est-ce que Thibaud et Fred sont tombés sur la tête ? C'est vrai que François Janvier et ses joyeux compères ont enflammé les esprits ce midi, mais de là à les tenir pour responsables du comportement de Jules… Y a quelque chose qui ne tourne pas rond.

* * *

Dom et moi nous retrouvons au cours d'histoire pour la première heure de l'après-midi. Valérie Béjar est assise à son bureau et nous accueille comme si rien ne s'était passé durant le dîner. Cette prof-là est organisée au quart de poil et dès que la cloche sonne, elle nous enterre sous une tonne de travaux. La semaine dernière, elle nous a fait commencer la révision en prévision des examens et, depuis, elle ne nous laisse pas perdre une seule minute de notre temps ; elle nous distribue des textes à analyser, des questionnaires et des quiz-éclair, puis encore des textes à analyser… Je suis pas mal déçue de ce cours. Comme il est optionnel, je l'avais choisi en pensant qu'il allait me plaire. Mais, en vérité, il m'ennuie mortellement. Cet après-midi, cependant, je suis presque contente d'avoir autant de travail à faire. Ça m'empêche de repenser à ce qui s'est passé entre Thibaud, Fred et François Janvier. Ça m'empêche d'imaginer Jules en train de jouer les concierges dans la cafétéria. Ça m'empêche de réfléchir tout court. Lorsque la cloche qui annonce la fin du cours retentit, je suis étonnée que ce dernier soit déjà terminé.

Comme Dom met toujours mille heures à ramasser ses affaires, nous sortons du cours les dernières. Alors que nous nous dirigeons vers l'ascenseur, nous tombons nez à nez avec Fred qui fait semblant de ne pas nous voir, ce qui rend Dom bleue de rage.

— Hey, l'indépendante, tu nous dis pas bonjour ?

Fred s'arrête et lève les yeux.

— Euh… ben, je pensais que vous vouliez plus me parler…

— C'est drôle parce que, nous, on pensait la même chose de toi, lui répond Dom sèchement.

— Ben, non ! Je veux encore vous parler ! Mais je suis pas très fière de moi, murmure Fred.

— Si c'est à cause de ce midi, je comprends ! Qu'est-ce qui t'a pris d'engueuler François Janvier ? demande Dom.

— C'était pas brillant, je sais…

— Brillant ? Mais c'était nul, ta petite crise !

L'intonation de ma voix la surprend. Je ne m'adresse jamais à elle sur ce ton-là.

— Te fâche pas, Clara…

— T'aurais pu te faire casser la gueule par Janvier !

— Il aurait pas frappé une fille, quand même ! T'exagères un peu, non ?

— Euh… c'est pas toi qui m'as dit dernièrement qu'on peut aussi casser la gueule à quelqu'un avec des mots ?

— Bof, si c'est juste ça…

— *Juste ça ?* rétorque Dom. Fred, le problème, c'est pas que t'aies engueulé Janvier. Le problème, c'est que tu l'as accusé de quelque chose alors qu'il est même pas coupable !

— Je sais…

Elle sait ? C'est toujours ça d'avoué. Mais ce n'est pas suffisant. Je la relance :

— Fred, pourquoi t'as pris la défense de Jules ? Tu l'as vu comme nous lancer de la bouffe, non ?

Silence. On pourrait entendre un maringouin voler.

— Je voulais juste…

Sa réponse ne vient pas. J'insiste :

— Tu voulais quoi, Fred ?

— Je voulais… impressionner Thibaud.

Fred est rouge comme une tomate et elle baisse les yeux. Impressionner Thibaud ? Mais qu'est-ce qu'elle chante là ? Je ne suis pas certaine de comprendre où elle veut en venir. (En fait, je ne suis pas certaine de VOULOIR comprendre où elle veut en venir…)

— Et l'impressionner pourquoi ? que je lui demande, un peu inquiète.

— Pour qu'il me remarque…

— Pour qu'il te…

Je n'arrive pas à terminer ma phrase. Dom me regarde alors que je regarde Fred, qui, elle, regarde Dom… Un vrai triangle des Bermudes dans lequel je suis en train de me perdre : ce que Fred vient de dire… ça signifierait que… elle est… NOM D'UN CHIEN !

— T'es amoureuse de Thibaud, c'est ça, Fred ? lance Dom, stupéfaite.

— Quelque chose comme ça, je pense…

BANG ! Sa réponse m'arrache presque de mon fauteuil, comme si un dix-roues venait de me rentrer dedans. Fred. MA Fred. Amoureuse de MON Thibaud ? Dom me dévisage. Je reste muette. Épouvantée. Je pense même que je vais vomir.

— Qu'est-ce qui se passe ? fait Fred. C'est quoi, le problème ? Vous avez bien l'air bête, toutes les deux !

Discrètement, je pose un doigt sur mes lèvres et j'écarquille les yeux pour que Dom comprenne qu'il vaut mieux ne pas parler de ce que je lui ai confié dans les toilettes. Je n'ai encore rien raconté à Fred et je ne crois pas que ce soit le moment de lui apprendre que je suis amoureuse du même garçon qu'elle (en fait, c'est plutôt elle qui est amoureuse du même garçon que moi !). Dom semble saisir mon message, puisqu'elle ne dit rien. Je m'efforce de rester calme.

— On a pas l'air bête, que je lance d'un seul souffle. On est juste un peu surprises.

— Ça fait longtemps que tu trippes sur lui ? l'interroge Dom sans me quitter du regard une seule seconde.

— Bof, euh… depuis cet hiver ? Depuis la danse du carnaval…

— Depuis la danse ? répète Dom, ahurie. Tu trippes sur lui depuis tout ce temps et tu ne nous as rien dit ?

Pour ça, je ne vaux pas mieux, car j'ai gardé mon secret pendant presque deux ans.

Je me mords la langue au sang.

Pour une fois, j'aurais dû y aller, à cette foutue danse…

* * *

Chaque année, au mois de février, a lieu le traditionnel carnaval Cœur-Vaillant. Un paquet d'activités sont organisées par les animateurs de la vie étudiante et certains profs : des olympiades d'hiver, un concours de sculptures sur neige, une nuit blanche pour observer les étoiles, sans oublier le couronnement de la reine du carnaval (cette année, c'est Marie, la sœur de François Janvier, qui a été élue). À la fin du carnaval, le soir du couronnement, c'est « la grande danse », l'activité la plus populaire. Tout le monde y va habituellement. Tout le monde sauf moi. Parce que la danse, comme par hasard, ce n'est pas vraiment mon activité préférée…

* * *

Fred nous raconte comment a commencé son « histoire d'amour solitaire », puisque, de toute évidence, Thibaud ne sait pas qu'elle est amoureuse de lui (tiens, quelle coïncidence! On a toutes les deux le même problème!). Je l'écoute tout d'abord attentivement pour ensuite la bombarder de questions. Ce que je veux savoir? C'est simple : est-ce que quelque chose dans le comportement de Thibaud pourrait (je dis bien « pourrait »!) lui laisser croire qu'elle a des chances? Fred est avare de détails. Elle bégaie, commence une phrase, s'arrête, baisse les yeux, commence une autre phrase, s'arrête encore… J'analyse son attitude et tout ce qu'elle dit, sous toutes les coutures possibles : les mots, les pauses, l'intonation de sa voix. Lorsque je la questionne, j'avale une bonne tasse d'anxiété. Et quand sa réponse arrive, eh bien, je ne suis pas plus rassurée. Je poursuis mon interrogatoire même si ma cervelle surchauffe. Je tiens bon : on ne me volera pas MON Thibaud pour des niaiseries. (ÇA, NON!)

— T'es certaine que t'as pas des petits indices qui pourraient te donner l'heure juste?

— Je sais pas, Clara. Je sais pas. Des fois je pense que oui, des fois je pense que non…

— Qu'est-ce qui POURRAIT te laisser croire que tu POURRAIS lui plaire?

J'insiste beaucoup sur le conditionnel présent. Pour le moment, c'est mon seul allié. Avec lui, j'ai l'impression d'avoir encore un peu d'espoir !

— Je sais pas trop, Clara.

— Il doit bien y avoir quelque chose, je sais pas, moi… le soir de la danse ?

— Peut-être…

Mon cœur veut sortir de ma cage thoracique. Peut-être que quoi ?

— Allez, s'énerve Dom. Ça va faire, le niaisage. Peux-tu être plus claire ? Tu nous allonges ça comme un élastique qui finit plus de s'étirer.

Ça m'encourage, que Dom prenne le relais. Une minute de plus et je pétais les plombs. Dom, qui est beaucoup plus grande que Fred, se penche vers elle et braque son regard dans le sien.

— Alors, ça veut dire quoi, ton « peut-être » ?

— Ben… euh…

— Fred, tu arrêtes de baisser les yeux et tu me regardes. Ça veut dire quoi ?

— Ben, il a une drôle de façon de me regarder…

— Puis ?

— Et sa façon de dire « Salut, Fred »…

— Puis ?

— Et les clins d'œil qu'il me fait des fois…

Mais qu'est-ce que ça veut dire, « il a une drôle de façon de me regarder » ? Il te regarde avec ses yeux, non ? Et qu'est-ce qu'elle a, sa façon de dire « Salut, Fred » ? C'est différent de sa façon de dire « Salut Clara » ? Et il lui fait des clins d'œil ? À ELLE AUSSI ?

— Et puis on a dansé ensemble le soir de la danse...

Voilà le chat qui sort du sac.

Ils ont dansé ensemble.

J'ai la nausée.

Je ne veux plus rien entendre.

Donnez-moi une corde, que je me pende...

* * *

Fred se dandine sur ses deux pieds. Dom est dressée devant elle, inébranlable, comme un chêne. Moi, si j'en avais la possibilité, je ferais les cent pas.

— C'est tout? demande Dom en devinant mon désarroi.

— Ben quoi, « c'est tout »? C'est pas assez? se plaint Fred.

— Il te regarde, il t'appelle par ton nom, il te fait des clins d'œil et vous avez dansé ensemble. C'est pas une preuve, ça.

— Ben, ça commence à être sérieux, non?

— Ça dépend. Est-ce qu'il t'a embrassée?

— Euh... non.

— Est-ce qu'il a dansé avec d'autres filles ce soir-là?

— Je crois, oui.

— Ben, voilà! T'es pas plus importante à ses yeux que n'importe qui d'autre.

Fred s'enflamme instantanément.

— Pourquoi tu dis ça? Tu penses que j'ai aucune chance? Tu penses que je me trompe? T'es jalouse?

Je reviens d'entre les morts. Jusque-là, je n'ai pas dit un mot. Mais je trouve que Dom y va un peu fort dans son analyse et je ne veux pas que notre amitié en souffre.

— C'est pas ça, que je dis à Fred. T'es une belle fille, t'as des chances, c'est certain. Mais…

Mais il est hors de question que tu t'intéresses à lui. Il est hors de question que Thibaud tombe amoureux de toi. Il est hors de question que tu joues sur mes plates-bandes.

Naturellement, je suis incapable de lui dire tout ça.

Alors, je retourne à mon mutisme.

Avant que Fred n'ait le temps de réagir, Dom me sort une fois de plus du pétrin.

— La meilleure façon de savoir ce qu'il pense de toi, c'est de lui poser franchement la question. Et si tu n'y arrives pas toute seule, eh ben, je peux le faire pour toi.

— NON!

J'ai hurlé en même temps que Fred. C'est sorti tout seul.

— Laisse faire, Dom. Je vais trouver moi-même la solution à mon problème. Je vais prendre mon courage à deux mains et aller lui parler. Mais pas tout de suite. Je suis pas encore prête…

Moi non plus, je ne suis pas prête.

Je ne suis pas prête à voir Fred roucouler autour de Thibaud.

Je suis désespérée…

Quelle merde, cette histoire!

★ Ce matin, je me suis levée après une très mauvaise nuit. J'ai avalé d'un trait un café que j'ai trouvé trop fort (et qui m'a brûlé la langue et la gorge), j'ai pris avec moi une grande couverture, mon lecteur MP3, mes notes de cours et mes cahiers, puis je suis sortie.

Il y a un grand parc juste en face de chez moi. Je n'ai qu'à traverser la rue pour m'y rendre. C'est là que je suis installée depuis plusieurs heures maintenant. J'ai calé mon fauteuil en dessous d'un grand arbre pour avoir de l'ombre et j'ai étendu la couverture sur le gazon pour m'allonger dessus. Le parc est assez désert : il n'y a que des écureuils et quelques pigeons pour me tenir compagnie. Ce qui tombe bien, parce que j'ai envie d'être toute seule.

Ça fait deux fois que je relis le même paragraphe dans mon manuel d'histoire. Je n'arrive pas à me concentrer. Les examens commencent lundi prochain et j'ai peur de tout rater. Parce que je ne suis pas vraiment dans mon assiette. Vraiment pas. J'ai terminé la semaine angoissée et je suis encore dans le même état ce matin.

J'ai évité Fred depuis notre conversation de jeudi dernier. Ce n'est pas que je suis fâchée. En fait, je ne sais même pas ce que je ressens. Dom m'a appelée hier soir et m'a ordonné de faire les premiers pas pour parler à Fred (elle me fait bien rire avec ses ordres, capitaine Dom). Elle pense qu'il faut que je lui dise ce que j'éprouve pour Thibaud, mais je ne suis pas certaine que j'en aie envie. Je n'arrête pas de ruminer toute cette histoire. On dirait que je suis dans des montagnes russes ! Parfois, je me dis que la meilleure chose à faire, en premier lieu, c'est d'avouer mes sentiments à Thibaud. Comme ça, j'en aurai le cœur net et je saurai une bonne fois pour toutes à quoi m'en tenir. Ensuite, je parlerai à Fred. D'autres fois, je me dis que je dois d'abord parler à Fred ; c'est mon amie et je dois être honnête avec elle. Thibaud peut bien attendre un peu. Mais révéler mon secret à Fred, c'est créer un froid avec une super-copine et, ça, je ne veux pas. En fin de compte, je me dis que le silence est la meilleure porte de sortie… Je suis vraiment mêlée.

* * *

Je suis allongée sur la couverture, les yeux fermés. Je viens (enfin !) de terminer la lecture des notes que j'ai prises en biologie et en maths. J'ai déjà fait mieux côté « étude », mais, compte tenu de l'état d'esprit dans lequel je suis aujourd'hui, je trouve que je ne m'en sors pas trop mal. Je m'accorde donc une pause. Une petite sieste au soleil, ça ne peut que me faire du bien.

Alors que je suis sur le point de m'endormir, j'entends quelqu'un s'approcher.

— Alors, ma belle, t'as fini d'étudier ?

Grand-Théo est debout devant moi, une assiette de sandwichs et un bol de fraises dans les mains.

— T'es ici depuis ce matin et t'es même pas rentrée pour dîner. Je me suis dit que t'aurais peut-être une petite fringale…

— T'es gentil, mais j'ai pas faim.

— Des sandwichs jambon-fromage et des fraises cueillies il y a quelques minutes dans notre jardin. Ça te va ?

Manifestement, il ne m'écoute pas. Il s'assoit près de moi sur la couverture et me tend un sandwich qui déborde de gruyère, sachant que c'est mon fromage préféré et que cela devrait me faire flancher, mais mon estomac fait la grève.

— T'as pas compris ? Je viens de te dire que j'ai pas faim…

— Rectification : j'ai compris, mais je crois que tu dois manger. Sinon…

— Sinon quoi ?

— Sinon tu seras encore plus déprimée que tu l'es en ce moment et tu ne trouveras pas l'énergie nécessaire pour affronter ce qui t'arrive.

— Y m'arrive rien et je suis pas déprimée.

— Si, toi, tu n'es pas déprimée, eh bien, moi, je suis le père Noël.

— …

— Clara, c'est évident que ça tourne pas rond. T'es silencieuse et tu manges plus depuis deux jours. Tu t'es regardée dans le miroir ce matin ?

— Non. Tu sais que je déteste me regarder dans le miroir. Alors, aujourd'hui, tu penses bien que je l'ai pas fait ! T'as vu dans quel état je suis ?

Ouah ! je suis une grosse nouille ! Je viens exactement de donner raison à mon grand-père. Ça, c'est du Grand-Théo tout craché : il réussit toujours à me sortir les vers du nez (mais il faut dire qu'avec lui, je cède facilement).

— Tu vois bien que j'ai raison. Tu es déprimée, me lance-t-il d'un ton presque joyeux.

Hé! ho! ce n'est pas parce qu'il a découvert que je suis déprimée que c'est soudain la fête!

— On peut rien te cacher.

— Je sais!

— Et y a rien d'amusant.

— Euh… oups… pardonne-moi.

Je n'arrive jamais à me fâcher longtemps contre lui. Je lui souris.

— T'es pardonné.

Grand-Théo se rapproche de moi et me donne quelques petites tapes dans le dos.

— Tu ne veux pas me dire ce qui ne va pas?

— …

— Tu traînes ça depuis quelques jours déjà, non?

Ça me ferait du bien de lui en parler… Oui ou non?

— Je ne sais pas par quel bout commencer…

— Eh bien, commence par le commencement!

— Y a trop de choses dans ma tête, Grand-Théo. C'est le fouillis là-dedans, que je lui dis en pointant mon crâne avec mon index.

Mon grand-père s'adosse au tronc de l'arbre sous lequel nous sommes assis et s'appuie sur ses deux mains qu'il croise derrière sa tête.

— Tu sais comment il faut s'y prendre pour manger un éléphant, Clara?

Ça sent la mauvaise blague, son entrée en matière. Où est-ce qu'il s'en va avec cette histoire d'éléphant?

— De quoi tu parles?

— Je te parle de manger un éléphant. Tu sais comment t'y prendre?

— Franchement, non. Et je ne vois pas où tu veux en venir.

— Un éléphant, ma belle, ça se mange une bouchée à la fois.

— Je vois pas le rapport.

— Ton histoire, tu veux me la raconter?

— Oui. Je crois…

— Alors, une phrase à la fois, ma puce. Comme si tu mangeais un éléphant.

Je souris.

— Elle est bizarre, ta comparaison…

— Peut-être, mais elle te fait sourire. C'est toujours ça de gagné.

Je raconte à Grand-Théo ce qui m'arrive. Il m'écoute avec attention. Au fur et à mesure que je parle, je sens fondre la boule qui était coincée au fond de ma gorge depuis jeudi. Lorsque j'arrête de parler, il m'offre de nouveau un des sandwichs qu'il a préparés.

— Maintenant, tu vas manger.

Je ne discute même pas. Je prends le sandwich qu'il me tend et, à mon grand étonnement, j'en engloutis la moitié en quelques secondes. Grand Théo mange lentement en regardant droit devant lui. On dirait qu'il réfléchit. La bouche pleine, je lui demande conseil. Qu'est-ce qu'il pense que je devrais faire pour régler mon problème? Est-ce que ça lui est déjà arrivé? Est-ce qu'il s'y connaît en histoire d'amour ? Est-ce qu'il a aimé ma grand-mère toute sa vie ? Je le bombarde de questions. Curieusement, je passe de la fille embarrassée qui voulait garder son secret pour elle à celle qui veut discuter et tout savoir sur la question.

— Je pense que la première chose à faire, ma belle Clara, c'est de rappeler Thibaud.

Il me faut quelques secondes pour saisir le sens de ce qu'il vient de dire.

— Tu veux que je le *rappelle* ? Comment ça, le *rappeler* ?

— Tu prends le téléphone et tu le rappelles.

— Mais qu'est-ce que tu racontes ? Pourquoi est-ce que je le *rappellerais* ?

— La moindre des politesses, quand quelqu'un à qui on tient nous donne un coup de fil, c'est de le rappeler. Et je crois que tu tiens beaucoup à ce garçon. Je me trompe ?

— Non, mais… il m'a pas appelée, à ce que je sache ! Pourquoi je le rappellerais ?

— Ô que si, il t'a appelée. Deux fois, même. Ce matin, et quelques minutes avant que je vienne te rejoindre. Alors, moi, si j'étais toi, je le rappellerais…

Si je n'avais pas les deux jambes coulées dans du béton armé, je serais déjà debout.

— ET C'EST MAINTENANT QUE TU ME DIS ÇA ?

Paniquée, je m'agite comme une guêpe autour d'un pot de confiture. Grand-Théo, un sourire moqueur aux lèvres, m'aide à remonter sur mon fauteuil. Je suis en colère contre lui et je retiens l'envie que j'ai de l'engueuler comme du poisson pourri : pourquoi est-ce qu'il a attendu aussi long-temps pour m'annoncer cette nouvelle CAPITALE !? C'était quoi, tout ce blabla sur mes états d'âme avant d'en arriver au fait ? C'était LA chose à me dire en premier ! Je m'énerve mais, dans le fond, je suis inca-pable de lui en vouloir : je suis tellement contente de savoir que Thibaud m'a appelée ! Au lieu de lui passer un savon, je lui colle un bec sonore sur la joue en le serrant très fort avant de prendre les com-mandes de mon bolide à quatre roues.

— C'est peut-être des bonnes nouvelles ? me chuchote-t-il à l'oreille.

Je ne sais pas quoi répondre. On ne s'appelle jamais, Thibaud et moi. Je ne savais même pas qu'il avait mon numéro de téléphone (même si, moi, ça fait longtemps que je connais le sien par cœur). Je n'ai jamais osé l'appeler. Pour lui dire quoi, de toute façon ? Je serais incapable de lui téléphoner sans avoir une vraie bonne raison de le faire. Mais lui, s'il a cherché à me joindre deux fois depuis ce matin, c'est qu'il doit en avoir une, bonne raison, non ? Dans ma tête, les idées vont dans tous les sens : « Est-ce que… Est-ce que Thibaud veut… Il veut me… Et si… Et si c'était pour…? » Je n'ose pas y penser (mais c'est tellement tentant) : « Et s'il m'a appelée pour… pour me… pour m'inviter…? Pour m'inviter au bal ? Peut-être ? C'est peut-être ça ? » Mon cœur bondit dans ma cage thoracique comme un kangourou hyperactif. Je suis super-extra-méga-agitée !

— Allez! file, dit Grand-Théo en faisant semblant de me pousser. Je te rejoindrai plus tard. Pour l'instant, je vais profiter du soleil et faire une petite sieste en plein air. Tu vois pas d'objection à ce que je prenne ta couverture?

Prendre ma couverture? Mais Grand-Théo, tu peux même la bouffer, ma couverture, si tu en as envie! Je n'ai plus qu'une idée en tête, moi, et c'est de rentrer à la maison le plus vite possible pour me ruer sur le téléphone!

J'avance rapidement sur le petit chemin de gravier qui serpente dans le parc, puis, après quelques mètres, je m'arrête. Je me retourne vers mon grand-père qui est étendu sur le dos, les yeux fermés.

— Grand-Théo, pourquoi tu ne m'as pas dit ça plus tôt, que Thibaud avait appelé? Pourquoi t'as attendu aussi longtemps? C'est la première chose que tu aurais dû me dire, non?

Il bâille un grand coup et me répond sans ouvrir les yeux:

— Il fallait d'abord que tu te vides le cœur, Clara.

— …

— Pour mieux le remplir après…

J'adore vraiment mon grand-père.

* * *

Thibaud n'est pas chez lui. Il est parti chez son père pour le reste du week-end. Je suis déçue, déçue, déçue! Je suis fâchée contre Grand-Théo. S'il m'avait dit plus tôt que Thibaud avait appelé, j'aurais peut-être eu la chance de lui parler avant qu'il parte! J'ai cependant discuté quelques minutes au téléphone avec la mère de mon amoureux secret et elle a l'air vraiment gentille. Elle m'a dit qu'elle était très heureuse de mettre enfin une voix sur « cette fameuse Clara » et qu'elle espérait avoir l'occasion de me rencontrer un jour. Moi ? Je suis « cette fameuse Clara » ? Donc, Thibaud lui parle de moi ? Cette petite révélation ne soulage pas entièrement la déception que j'ai de ne pas l'avoir eu au bout du fil, mais je suis flattée d'apprendre que Thibaud parle de moi à sa mère, une fois de temps en temps.

Je replace le téléphone sur sa base et je reste plantée dans l'entrée du salon, la tête dans le brouillard. Il faut que je parle à quelqu'un. Il le faut. MAINTENANT !

* * *

J'ai l'oreille chaude, tellement je suis restée longtemps au téléphone. Il fallait que je parle à quelqu'un ? Eh bien, ce quelqu'un, ça ne pouvait être que Dom.

Comme elle est patiente, mon amie ! Elle m'a tout d'abord laissé parler pour ensuite me dire des trucs réconfortants : je dois me faire confiance, prendre un événement à la fois... On a papoté un bon moment. Presque une heure. Elle et sa voix rauque m'ont fait du bien. Je suis un peu plus calme maintenant. Étendue sur mon lit, je gratte la tête de Roger qui est couché à mes côtés. Il bourdonne comme un essaim d'abeilles. Son ronron est réconfortant.

Je prends quelques secondes pour jeter un coup d'œil à l'état de ma chambre. C'est vrrrrraiment le chaos ! Mes pinceaux et mes tubes de peinture sont pêle-mêle sur ma table de chevet et ma commode, il y a plusieurs toiles inachevées qui traînent sur le sol, et mes tiroirs débordent de vêtements fripés. Et si je me lançais dans un grand ménage? Et si je rangeais tous ces objets qui encombrent mon petit univers? J'y verrais peut-être un peu plus clair (dans ma chambre comme dans ma tête) et ça me ferait un peu plus d'espace pour me déplacer.

Lentement, je commence à remettre les choses en place.

Clara Destroismaisons-Parenteau, tu ne te laisseras pas gruger par cette fin de semaine interminable.

Interrrrrrrrrrrrrrrrrrrrrrrrrrrrrrrrrrrrrrrrr rrrrrrrrrminable.

MARDI 16 JUIN.

★ Les examens commencent aujourd'hui. Je suis très nerveuse parce que, à part en arts plastiques et en mathématiques, je ne suis pas une très bonne élève. J'ai toujours eu de la difficulté en français et je ne vaux pas grand-chose en sciences. Mais ce n'est pas uniquement pour cette raison que je suis un vrai paquet de nerfs ce matin : je n'ai pas encore eu l'occasion de parler à Thibaud et, ça, ça me ronge par-dedans! Je suis arrivée tôt à l'école ce matin en espérant le croiser, mais sans succès. Je n'ai pas cessé de penser à lui de tout le week-end. J'étais déjà à l'envers la semaine dernière mais, depuis ces deux coups de téléphone de samedi (et mon propre appel manqué), je suis complètement dans le cirage. Je ne mange presque pas, je dors encore plus mal qu'avant et comme je bois des litres de café, je suis loin d'améliorer mon sort. Résultat : j'ai les yeux cernés d'un beau mauve profond, le teint vert comme une olive et le cœur en bouillie (c'est la grande forme, quoi !).

Ce matin, c'est l'examen de biologie. Mme Sanchez nous attend à la porte d'une grande salle, au deuxième étage, avec une pile de feuilles sous le bras. Sandra Sanchez est une très bonne enseignante. J'ai eu la chance de l'avoir comme prof de bio en troisième secondaire, en plus de cette année. D'origine mexicaine, elle est très belle. La biologie, c'est vraiment son truc. Chaque fois qu'elle ouvre la bouche pour l'enseigner, Sandra Sanchez s'enflamme. Elle parle vite, gesticule, dessine au tableau, gesticule de nouveau, reparle encore plus vite, retourne au tableau… Elle déploie tant d'énergie à nous transmettre son savoir que je suis gênée de ne pas mieux réussir. Malgré tous mes efforts et toute sa patience à mon égard, mes notes sont en dessous de la moyenne. Mais je suis fascinée par le corps humain, alors, malgré mes piètres résultats, et puisque Mme Sanchez est un amourrrrr de prof, j'ai toujours persévéré.

Je m'installe dans la classe. Je suis la première arrivée. Ça me laisse quelques minutes pour relire mes notes et tenter de me bourrer un peu plus le crâne de toutes ces informations qui, c'est certain, quitteront mon cerveau aussitôt que l'examen sera terminé. Je tente de me concentrer sur ma lecture, mais j'y arrive difficilement. Les concepts s'entrechoquent dans ma tête. Par chance, j'ai crayonné dans mon calepin quelques petits dessins pour faciliter mon étude. Alors que j'en tourne les pages pour être certaine de n'avoir rien oublié, François Janvier entre dans la salle à son tour. Je me mets en mode « attaque », certaine qu'il va me dire une bêtise. Il ne peut pas faire autrement : nous sommes seuls, tous les deux, dans la même pièce ! Pas de témoin ? Le champ est libre ; il peut donc m'envoyer paître à tout moment !

J'attends patiemment qu'il ouvre la bouche… mais il se contente de me faire un petit signe de la tête et va s'asseoir dans le coin opposé à celui où je me trouve. Je l'observe du coin de l'œil, intriguée par cette attitude qui ne lui ressemble pas. Il se retourne vers moi plusieurs fois, mais ne dit pas un mot. J'ai envie de le narguer en lui demandant s'il veut ma photo, mais je me retiens. Son regard est lointain, ses gestes sont lents, presque mécaniques. Tout le contraire du François Janvier impétueux et bruyant, reconnu pour son petit côté envahissant. On dirait qu'il est triste… Oui, c'est ça : François Janvier est triste ! Depuis que je le connais (« connaître » est ici un bien grand mot), j'ai vu plusieurs facettes de sa personnalité : François Janvier « le fier », François Janvier « le vantard », François Janvier « l'insolent », François Janvier « le méprisant », François

Janvier « l'orgueilleux »… Mais un François Janvier « triste » ? C'est du jamais-vu.

Les élèves sont de plus en plus nombreux à entrer dans la salle. François Janvier me jette un dernier coup d'œil. Trois personnes sont maintenant dans mon champ de vision, ce qui rend mon observation plus difficile. J'arrive à entrevoir un des copains de Janvier, Félix, qui se dirige vers lui et lui tapote gentiment l'épaule, comme s'il voulait l'encourager. J'ai de la difficulté à croire que le simple fait de passer un examen de biologie puisse mettre François Janvier dans cet état. Il y a anguille sous roche, mesdames et messieurs… J'ai bien envie de mener ma petite enquête, mais je dois la remettre à plus tard, car Mme Sanchez referme la porte de la classe. La nervosité gagne du terrain dans mon esprit. Dans quelques minutes, ma descente aux enfers va commencer…

*   * | *

Quand je sors du local, j'ai le cerveau dans la gélatine. Comme je l'avais prédit, je ne me souviens déjà plus de ce que j'ai mis trois journées et trois soirées à étudier. Tant d'heures gaspillées à me bourrer le crâne… Quelle perte de temps ! Il ne me reste que l'examen de français qui aura lieu un peu plus tard cette semaine. Il y a celui de maths aussi, mais, là, je suis moins inquiète parce que je me débrouille assez bien. C'est bon de sentir que, bientôt, je vais pouvoir me consacrer à temps plein à l'art sous toutes ses formes : j'ai été acceptée en arts plastiques au Cégep du Vieux-Montréal, ce qui veut dire que je vais enfin pouvoir faire ce que j'aime jusqu'à la fin de mes jours ! C'est ça qui donne un vrai sens à ma vie (et de bonnes notes dans mon bulletin).

Alors que je roule lentement dans le corridor en réfléchissant à mes projets futurs, j'entends derrière moi quelqu'un qui court dans ma direction. À mon grand étonnement, je reconnais François Janvier.

— Attends, Clara, attends ! me lance-t-il.

Si j'étais un loup, je montrerais les dents sur-le-champ et sans hésiter. Je continue à avancer comme si je n'avais rien entendu.

— Attends, je te dis !

Qu'est-ce qu'il a ? Pourquoi veut-il que je l'attende ? Ça doit être une nouvelle tactique hypocrite pour m'approcher et, ensuite, m'assommer. J'avance encore plus vite, mais il me rattrape et s'arrête juste devant moi, essoufflé. C'est fou comme il est grand, ce garçon (vu d'en bas, on dirait qu'il est aussi haut que la tour du CN). Je dois me casser le cou pour le regarder dans les yeux. C'est probablement le seul gars qui arriverait à me dépasser si j'étais debout sur mes deux pieds. Mais au diable sa taille : qu'est-ce qu'il me veut ?

— Tu viens me parler gentiment ou me balancer une vacherie ?

— Est-ce que tu sais ce qui est arrivé à ma sœur en fin de semaine ? me demande-t-il.

Je ne réponds rien. En fait, je ne sais pas quoi dire. Il est arrivé quelque chose à sa sœur ?

— T'es pas au courant, hein ? m'interroge-t-il de nouveau.

Je ne sais toujours pas quoi répondre. Il faut que j'ouvre la bouche ? Allez, Clara, fais un effort…

— Et je devrais être au courant de quoi ?

Je suis trrrrrrrrrrrrès méfiante. Lui, il ne doit pas être dans son assiette. Il a de la difficulté à aligner ses mots.

— Ma sœur, tu la connais, hein ?

— Marie ? Tu parles de Marie ?

— Oui, c'est ça, Marie, ma sœur Marie…

— Ben, oui, je la connais. Alors quoi ?

Les paroles me parviennent au compte-gouttes. Je n'arrive pas à détecter s'il est sérieux ou si c'est une manœuvre sournoise pour me contrarier. Cependant, je ne le reconnais pas. Habituellement, j'ai affaire à un gars sûr de lui, chiant à l'extrême et, là, je me retrouve devant une version énigmatique qui sent le malaise à plein nez. Je reste calme, même si j'ai une folle envie de l'envoyer promener.

— Donc, tu veux me parler de ta sœur…

— Oui…

— Marie, celle qui est meneuse de claques pour l'équipe de football…

— Oui, elle. J'en ai rien qu'une de toute façon. C'est sûr que c'est elle.

Sa réplique teintée de colère me déroute. La tension monte. Qu'est-ce qu'il me veut à la fin ?! J'explose.

— François Janvier, si tu te prépares à m'attaquer en douce, je t'avertis que…

— Quoi ? Non ! C'est ma sœur, Marie…

— QUOI, TA SŒUR MARIE ?! QU'EST-CE QU'ELLE A, TA SŒUR MARIE ?!

Mon explosion semble le secouer. Il prend une grande inspiration et il me lance, d'une traite :

— Elle a eu un gros accident.

Je le regarde, étonnée. Mais… Merde ! Il est vraiment sérieux ! J'ai devant moi un grand gars abattu et dévasté qui ne rigole pas pour deux sous. Je laisse tomber du coup mon petit ton sur la défensive…

— Je savais pas. Je suis désolée… Quel genre d'accident ?

— Un accident d'auto.

— …

— Mon père s'en est sorti avec des égratignures, mais Marie est à l'hôpital.

Je ne sais pas comment réagir. De longues secondes passent sans que nous disions un seul mot. C'est à lui ou à moi de parler ? Je crois que je préfère attendre silencieusement qu'il me raconte la suite.

— Les médecins disent que c'est grave.

— Ah oui ? Euh… grave comment ?

— Elle marchera plus.

— …

— Tu comprends, Clara ? Ma sœur Marie marchera plus jamais !

Un sanglot semble chercher son chemin dans sa gorge, mais il ne bronche pas.

Silence.

…

Encore et toujours le silence.

…

90

L'atmosphère est drôlement pesante autour de nous.

* * *

Si *je comprends*?

François Janvier, celui qui nous envoie promener, mon fauteuil et moi, depuis tant d'années, qui se permet les plus méchantes remarques à propos de mon handicap, qui me traite comme une moins que rien, ce François Janvier-là me demande si *je comprends*? J'ai brutalement envie de le frapper. D'un grand coup de poing dans le ventre que je lui enverrais avec toute ma colère. Mais je suis devant un garçon complètement démuni, et une petite voix me dit que ce n'est pas la meilleure chose à faire en ce moment.

Si *je comprends*?

Cette nouvelle me rentre dedans comme un boulet de canon. Des miettes de souvenirs me remontent à la mémoire et je sens soudainement que mes yeux veulent se remplir d'eau. Comme il est hors de question que je laisse paraître la vague d'empathie qui vient tout juste de me submerger, je baisse les yeux et respire lentement pour retrouver mes esprits.

Si *je comprends*?

J'étais beaucoup plus jeune que Marie quand j'ai eu mon accident, et tout ça remonte à plus de douze ans déjà, mais le chemin à parcourir quand les jambes nous lâchent, ça, je ne pourrai jamais l'oublier. La difficulté d'apprendre à vivre à l'envers de tout le monde, avec des obstacles à n'en plus finir, ça non plus, je ne pourrai jamais l'oublier. Un accident comme ça? Tous les jours, on se le rappelle. Surtout quand on y a laissé ses parents.

* * *

— Tu attends quoi de moi?

François Janvier ne répond pas tout de suite. Je devine que le simple fait de se tenir devant moi lui coûte beaucoup.

— Tu veux… tu veux en parler?

— Je sais pas trop, Clara… Je voulais juste… je voulais juste te le dire, c'est tout… Je voulais… je voulais que tu le saches parce que…

Il ne termine pas sa phrase et baisse les yeux. Il va s'en aller, je le sens. Je déteste ce garçon, mais je ne peux pas le laisser partir sans rien dire. Il a quand même marché sur son orgueil pour venir me voir. Dans ma tête, ça se court-circuite: «Clara Destroismaisons-Parenteau, fais quelque chose, bon sang! Dis quelque chose!» (D'accord… mais quoi?)

Comme il s'apprête à me tourner le dos, je lui lance:

— C'est parce que mes jambes sont mortes, à moi aussi, c'est ça? C'est pour ça que tu as eu envie de me parler? Parce que je suis la seule fille handicapée que tu connais, alors tu t'es dit: elle, elle va comprendre. C'est ça, hein?

Il tourne la tête vers moi sans prononcer un seul mot, mais lève ses yeux vers les miens. Deux grands yeux verts qui trahissent son effondrement. Je suis vraiment bouleversée. Je me surprends à lui dire:

— Eh bien, si tu veux en parler… euh… ben, j'ai des oreilles en pleine forme. Je peux t'écouter. C'est vrai que je comprends ça, ce genre d'affaire, tu sais… Tu t'es pas trompé… Si je peux faire quelque chose pour toi… eh bien… eh bien, ce sera gratuit, cette fois.

François comprend que je fais allusion à l'incident de l'ascenseur, le jour où il s'est retrouvé presque nu devant moi, le jour où il a dû payer pour toutes ses grossièretés à mon égard. Il me sourit tristement et me fait un petit signe de la main en s'éloignant. Je reste sur place sans bouger, encore choquée par la nouvelle que je viens d'apprendre, mais aussi immensément surprise par son changement d'attitude envers moi.

* * *

Alors que je mets le pied (la roue !) dans l'agora, Fred et Dom accourent vers moi, haletantes.

— Tu as su pour la sœur de François ? me lance Dom.

— C'est terrible, non ? renchérit Fred.

La nouvelle semble avoir fait rapidement le tour de l'école. Ça me fait tout drôle de voir Fred. J'essaie de ne pas paraître mal à l'aise devant elle, mais c'est difficile. Je n'arrive pas à la regarder dans les yeux.

— François me l'a annoncé lui-même ce matin, que je leur dis. Il est vraiment abattu.

Mes deux copines écoutent attentivement le résumé que je leur fais de ma discussion avec lui. Dom déclare sans façon que cet événement va changer le cours de la vie de François Janvier. Naturellement, je suis d'accord avec elle. On ne peut pas rester indifférent quand un événement comme ça arrive.

— J'imagine, ouais. Tu le sais mieux que nous ! réplique Dom.

— Peut-être, mais on ne peut pas non plus changer du jour au lendemain.

C'est Thibaud qui vient de prendre la parole. Il est apparu à mes côtés sans que je le voie venir. En un rien de temps, je me transforme en statue. Je suis paralysée.

— Tiens, mais c'est ce cher Thibaud ! s'exclame Dom, amusée de me voir soudainement déguisée en bloc de ciment. Alors comme ça, tu penses que Janvier va demeurer un pauvre abruti, malgré ce qui est arrivé à sa sœur ? T'es pas un peu dur, là ?

— C'est pas ça que j'ai dit, Dom, répond Thibaud. J'ai dit que…

— T'as dit ce que t'as dit. On a toutes entendu. Ce gars-là est peut-être pas notre ami, mais…

— Hey ! J'ai juste dit qu'on ne peut pas changer du jour au lendemain !

— Peut-être, mais c'était pas nécessaire. Tu pourrais au moins, rien qu'aujourd'hui, avoir un peu de compassion pour lui. C'est vraiment pas drôle, ce qui vient d'arriver à sa sœur et…

— DOM ! ÇA SUFFIT ! VEUX-TU BEN LE LAISSER TRANQUILLE !

Fred vient de beugler comme un veau. C'est tout juste ce qu'il me fallait pour sortir de ma léthargie. Un grand frisson parcourt le petit bout de ma colonne vertébrale qui est toujours fonctionnel.

Je ne supporte pas de voir Fred protéger Thibaud comme si c'était une proie facile. On dirait qu'elle le défend tel un petit chien-chien abandonné à lui-même. C'est exactement le même comportement qu'elle a adopté la semaine dernière pour se faire remarquer, et la voilà qui en remet ce matin en venant encore à sa rescousse. Tout ça pour attirer son attention? GRRRR... THIBAUD DESJARDINS EST UN GRAND GARÇON : IL N'A PAS BESOIN D'UNE AVOCATE POUR LE DÉFENDRE. Il faut que Fred le sache. C'est terminé, les cachotteries.

T-E-R-M-I-N-É.

Je me sens tout à coup invincible et je décide que c'est le moment de parler à Fred dans le blanc des yeux.

— Toi, tu viens avec moi tout de suite!

J'empoigne Fred par un bras et je la fais basculer sur mes genoux. Elle n'a pas le temps de réagir. Même si elle est assise sur moi et que je suis maladroite dans mes mouvements avec son poids en plus, j'avance rapidement. Quelques mètres plus loin, dans un petit recoin tout près du local de la radio étudiante, je la laisse descendre. Elle saute sur ses deux pieds et se tourne vers moi, visiblement en colère.

— T'es malade, Clara Deutroismaisons-Parenteau! Veux-tu bien me dire ce qui te prend? On aurait pu se faire super-mal, toutes les deux!

— C'est impossible pour moi d'avoir plus mal qu'en ce moment.

— Hein? Quoi? T'as mal où?

— Tu vas te taire, Fred, et tu vas me laisser parler maintenant.

— Mais, Clara, qu'est-ce que t'as ?

Elle ne peut plus placer un seul mot : je ne lui en laisse pas le temps. À toute vitesse, je lui déballe tout ce que j'ai sur le cœur :

— Fred, j'aime Thibaud depuis toujours et, toi, tu es une de mes meilleures amies. J'ai essayé de garder mon secret pour moi mais, depuis tes aveux de la semaine dernière, je suis tout à l'envers et je ne sais plus sur quel pied danser (ou plutôt, sur quelle roue rouler). Thibaud m'a appelée deux fois la fin de semaine dernière, mais comme je n'ai pas eu la chance de lui parler, c'est toujours le chaos dans ma tête. Si tu acceptes, je parle à Thibaud aujourd'hui, comme ça, toi et moi, on pourra en avoir le cœur net et on pourra passer à autre chose, si naturellement on est capables de passer toutes les deux par-dessus ça.

Fred a les yeux grands et ronds comme des pizzas extralarges. Elle ne s'attendait vraisemblablement pas à une telle révélation. Elle me dévisage, estomaquée.

— Tu… euh… tu es amoureuse de lui ? Toi aussi ?… Mais… euh… on a un problème, Clara. Un gros problème…

— Je sais…

— Euh… t'es mon amie, Clara. T'es vraiment mon amie, tu le sais, hein ?

— Oui, je le sais. C'est pour ça que je voulais te parler.

Contre toute attente, Fred éclate en sanglots.

— Si j'avais su… si j'avais su, Clara…

— Si t'avais su quoi?

— Si j'avais su que t'avais l'œil sur lui, je te jure que…

— T'as rien à jurer, Fred. Je pense que, ces choses-là, on a pas vraiment de contrôle dessus. C'est juste un drôle de hasard que ce soit tombé sur toi et moi.

— Peut-être mais quand même… je te jure que j'aurais fait un effort!

— Un effort? Pourquoi? Pour pas tomber amoureuse de lui?

— Quelque chose comme ça, oui…

— Ben, voyons, Fred! C'est pas ta faute!

Mes yeux se mouillent à leur tour. Fred se rassoit sur mes genoux et me serre très fort dans ses bras.

— On fait quoi maintenant? renifle-t-elle entre deux sanglots.

— Ben, est-ce que tu me laisses parler à Thibaud?

— Je sais pas trop…

— Je veux savoir pourquoi il m'a appelée samedi. Peut-être que ça n'a rien à voir avec moi.

— Peut-être que, justement, ça a quelque chose à voir avec toi… Clara, je suis pas sûre que je veux apprendre aujourd'hui qu'il trippe sur toi et que tu vas aller au bal avec lui… C'est trop vite, là.

— Peut-être que c'était juste pour parler des examens? Il voulait peut-être mes notes de cours en français…

— T'es pourrie en français, Clara ! Ça tient pas debout, ton histoire.

— Je sais…

— …

— …

— S'il te demande de l'accompagner au bal, tu fais quoi ?

— Justement, Fred, s'il me demande de l'accompagner au bal, je fais quoi ?

— …

— …

— Tu dis oui.

— T'es certaine ?

— Je suis certaine.

— Tu serais capable de passer par-dessus quelque chose comme ça ?

Fred me regarde, un timide sourire sur ses lèvres.

— Je pense que oui. Toi ?

— T'es une super-amie, Fred. Je voudrais jamais te faire du mal. Thibaud, il me fait vraiment craquer, mais je veux qu'on reste copines, toi et moi. Je veux pas de chicane.

Elle renifle un bon coup et, le plus sérieusement du monde, plante ses yeux dans les miens en tenant mon visage à deux mains.

— Alors, va lui parler.

— T'es certaine ?

— Oui.

— O.K.

— Juste une chose, Clara…

— Quoi?

— Tu me caches rien, cette fois-ci. Tu me dis tout.

— Je te dis tout, oui.

— Même si j'ai pas envie de l'entendre.

— O.K. Même si t'as pas envie de l'entendre.

— …

— …

— Je t'aime, Clara.

— Je t'aime aussi, ma belle Fred.

À mon tour, je la serre dans mes bras. Un câlin du tonnerre. Notre dialogue ressemble à ceux qu'on peut lire dans les mauvais romans-photos. Je nous trouve pathétiques, mais je suis soulagée de savoir que nous nous aimons assez, toutes les deux, pour passer par-dessus cet obstacle (jusqu'à preuve du contraire, évidemment…). Alors que nous essuyons nos larmes, François Janvier sort précipitamment du local de la radio étudiante, juste à côté de nous. Ses yeux sont tellement bouffis qu'il ressemble à une grenouille. Il nous dévisage, confus. C'est clair qu'il ne s'attendait pas à nous voir là.

— Euh… salut, les filles. Je… j'étais dans le local pour… euh… pour écouter les tounes qui vont jouer au bal… pendant mon animation, vous savez? C'est moi qui anime et…

Il se défend comme un petit garçon qui vient de se faire prendre la main dans le sac. À voir l'état de ses yeux, c'est évident qu'il vient de pleurer lui aussi. Fred tente maladroitement de nous sortir de cette impasse.

— T'as pleuré, toi. C'est à cause de ta sœur, hein ? Je suis désolée. Clara m'a raconté, et…

— Pleurer ? Euh… non… Ma sœur ? Euh… oui. Euh… merci, mais…

Fred, consciente du malaise qu'elle vient de provoquer, se lève d'un bond et se défile sans m'attendre.

— Bon, allez, je vous laisse !

— Fred, attends !

— Plus tard, Clara. Il faut que j'aille étudier. Oublie pas ce qu'on s'est dit. À tout à l'heure !

En moins de deux, Fred disparaît. Pour la troisième fois aujourd'hui, je me retrouve toute seule avec François Janvier, qui ne semble toujours pas disposé à m'attaquer.

— Ça va ? que je lui demande, histoire de chasser son embarras.

— Dans les circonstances, je pense que oui… Mais c'est vrai que j'étais en train d'écouter des tounes pour le bal.

— T'as pas à te trouver une excuse.

— C'est pas ça… C'est pas que je me cherche une excuse. C'est juste que j'ai mis la main sur une chanson et…

— Sur une chanson qui t'a fait penser à ta sœur ?

Son malaise est si gros et si palpable que je pourrais le découper au couteau et en nourrir toute une armée. C'est clair qu'il lutte pour ne pas pleurer devant moi. Et je ferais la même chose à sa place. Si Grand-Théo était ici en ce moment, François aurait droit à un discours sur le droit de pleurer. Mon grand-père me dit souvent que la tristesse, pour un gars comme pour une fille, ça doit passer par les larmes. Selon lui, c'est le meilleur moyen de la soigner. Perdue dans mes réflexions, je ne vois pas tout de suite que François se retourne lentement vers la porte du local de la radio étudiante.

— Bon, ben, c'est ben beau tout ça, mais j'ai encore du travail à faire, moi.

— Sauve-toi pas comme ça, François. C'est correct que tu pleures, tu sais.

Ouch! Qu'est-ce qui me prend? L'esprit de Grand-Théo serait-il en train de faire de la télépathie avec le mien?

— Bon, Clara, t'es bien gentille, mais j'ai pas envie d'en parler, là. Je vais…

Sans réfléchir, je lui touche le bras.

— Attends, François.

Il me dévisage, surpris.

— Quoi?

— Euh… C'est juste rassurant de voir que t'es capable de pleurer, c'est tout.

— Pourquoi tu me dis ça?

— Ben… euh… tu joues tout le temps au gros *tough*… Ça fait juste du bien de voir que t'es capable de pleurer…

— Criss! mais de quoi tu parles?

Bonne question, en effet: de quoi je parle? Où est-ce que je veux en venir avec ça? Je m'aventure sur un terrain glissant…

— François Janvier, viens pas me faire croire que tu sais pas que t'as une maudite réputation de gars chiant, pis de gros dur… T'es LE gars LE plus désagréable que je connaisse.

Il me fixe, choqué.

— Ben, voyons, tu dis n'importe quoi !

Je sais que ce n'est pas le bon moment pour lui faire son procès. Mais la colère que je ressens pour lui depuis toutes ces années remonte à la surface d'un seul coup. J'oublie ce qui est arrivé à sa sœur, qu'il a de la peine, et je décide de lui dire, une bonne fois pour toutes, ce que je pense de lui.

— Tu joues au plus fort pour faire peur à tout le monde. T'es bête, t'es condescendant, tu dis plein de vacheries pour prouver je sais pas trop quoi. T'as une maudite grande gueule, t'écœures la planète tout entière, pis moi en particulier. T'es tellement arrogant, pis méprisant, que je me réveille la nuit rien que pour te haïr… Mais t'es capable de pleurer, donc t'as un cœur. C'est rassurant, parce que j'ai toujours pensé le contraire.

Il faut que je m'arrête. Là. Maintenant. TOUT DE SUITE ! Depuis quand on cogne sur quelqu'un qui est à terre ? François est blanc comme un drap. Avec ce qui est arrivé à sa sœur, il n'était déjà pas très solide, mais, là, il est complètement démonté. Je l'entends marmonner :

— Tu me fais chier, Clara Destroismaisons-Parenteau. Tu me fais royalement chier.

Je ne réplique même pas. Tant pis pour moi ; j'avais juste à me taire. Il n'avait pas besoin que je lui balance tout ça. Pas aujourd'hui, en tout cas. Est-ce qu'il est trop tard pour faire des excuses ?

— Je… Écoute, François, j'y suis allée un peu fort. Je suis vraiment, vraiment désolée.

— …

— …

— Tu me détestes tant que ça ?

— Euh… oui… non. C'est pas ça. Le moment est mal choisi, c'est tout.

— Ben, au moins, maintenant, les choses sont claires.

— Comment ça, *maintenant* ? Les choses ont toujours été claires : je te fais chier, tu me fais chier, nous nous faisons chier. C'est simple, non ? Tu m'aimes pas la face et, ça, je l'ai toujours su, pis, moi, je t'ai toujours trouvé con. On est quittes.

Je m'apprête à lui tourner le dos, mais il se place derrière moi et pousse mon fauteuil dans le local de la radio étudiante.

— C'est quoi, ton problème ? Laisse-moi tranquille !

Mais il ne me répond pas.

— Qu'est-ce que tu me veux ? Je veux sortir d'ici !

Il ne répond toujours pas.

La pièce est très étroite. Autour de nous, sur les murs, il y a plein d'étagères remplies de disques compacts. Sur une petite table dans un coin, une chaîne hi-fi avec des dizaines de boutons et deux paires d'écouteurs complètent le décor.

— François, qu'est-ce que tu fais ?

— Je veux te prouver que je suis pas le gars que tu penses que je suis.

— T'as rien à me prouver. Tu me dois rien.

— Ça, c'est toi qui le dis.

François prend un disque sur une pile et le glisse dans le lecteur. Quelques secondes plus tard, la pièce est envahie par une chanson en anglais que je ne connais pas.

— C'est quoi ?

— C'est une toune du film *Once*. Tu l'as vu ?

— Non. Mais cette chanson-là est vraiment bonne.

— C'est la chanson préférée de Marie.

* * *

L'horloge sur le mur indique 12 h 23. Ça fait donc presque une heure trente que nous écoutons en boucle la chanson préférée de Marie. Si bien que je la connais maintenant par cœur :

Take this sinking boat and point it home,
we've still got time,
Raise your hopeful voice you have a choice,
You've made it now[1]…

C'est une très belle chanson qui parle d'espoir. Une chanson qui vire l'estomac à l'envers, tellement le refrain est poignant… Pendant tout ce temps, François m'a expliqué en détail l'accident de sa sœur. Il m'a raconté la réaction de ses parents, les heures passées à l'hôpital, ce que les médecins ont

---

1. *Falling Slowly*, par The Swell Season (Glen Hansard et Markéta Irglová) : « Prends ce bateau qui coule et pointe-le en direction de chez nous, nous avons toujours du temps, élève ta voix pleine d'espoir tu as le choix, tu es arrivé, maintenant… » (Traduction libre.)

dit. Il a parlé lentement, presque sans s'arrêter. Je lui ai posé quelques questions mais, dans l'ensemble, ça ressemblait plus à un long monologue qu'à une conversation. Et puis, à un certain moment, il s'est tu, laissant s'installer un silence que je n'ai pas cherché à rompre. C'est la cloche annonçant la première heure de dîner qui nous a ramenés brutalement à la réalité. Une réalité qui me rappelle que je n'ai pas encore eu la chance de parler à Thibaud.

— Faut que j'y aille, François.

— Ouais… moi aussi. J'en connais quelques-uns qui doivent me chercher.

— Pareil pour moi.

— …

— …

— Clara?

— Oui?

— Merci.

* * *

J'entre dans la cafétéria pour retrouver Dom et Fred, mais elles ne sont pas là. Je vois cependant Thibaud qui est assis seul à une table, près de la fenêtre. Je ne peux pas laisser passer cette occasion en or. C'est maintenant ou jamais que je lui fais ma déclaration. J'avance vers lui avec une détermination qui me surprend. Après Fred, ce matin, ce sera à son tour d'entendre ce que j'ai à dire. Je ne suis plus qu'à quelques mètres de lui quand il m'aperçoit. Son regard s'illumine et il sourit. Je m'installe près de lui.

— T'étais où? Je t'ai cherchée partout.

— J'étais avec François Janvier.

— Hein ? Comment ça ?

— C'est une longue histoire. Écoute, il faut que je te parle.

— Ça tombe bien, moi aussi.

— Tu m'as appelée samedi.

— Oui. Je voulais te parler avant d'aller chez mon père pour la fin de semaine.

— Je sais, ta mère me l'a dit.

— T'as rappelé ?

— Oui, mais t'étais plus là.

— Ma mère me l'a pas dit.

— C'est pas grave. L'important, c'est qu'on se parle aujourd'hui.

— Oui, t'as raison. Tu commences ?

— Non, toi d'abord. Qu'est-ce que tu voulais me dire ?

— Quelque chose d'important…

Ah non ! il ne va pas se mettre à jouer les mystérieux ! Je déteste ça.

— Thibaud, je t'en supplie, tourne pas autour du pot. Pourquoi tu m'as appelée samedi ?

— Voyons, Clara, t'es bien énervée !

— J'ai mes raisons. Si t'étais à ma place, tu comprendrais. Peux-tu me dire ce qui se passe ?

— Ben, j'ai décidé d'inviter une fille au bal.

Nous y voilà enfin. Il va droit au but pour une fois. J'aime ça. Je m'accroche solidement à mon fauteuil en attendant la suite…

— Ah oui ? Et alors ?

— Ben, j'ai besoin de toi pour ça…

— Pour aller au bal ? Pas de problème ! Oui, je le veux !

Mon cœur bondit. Ça y est ! La glace est brisée : je suis l'élue de son cœur ! Comme je suis sur le point de lui sauter au cou, il se met à rigoler.

— Clara Destroismaisons-Parenteau, je t'adore ! Tu trouves toujours le bon mot pour détendre l'atmosphère. Je t'aime bien, tu sais.

Je ne suis pas certaine, mais je crois que je n'apprécie pas du tout ce qu'il vient de me dire. C'était un compliment ou une déclaration d'amour, ça ?

— Écoute, Clara, je voudrais inviter Fred au bal et, comme tu la connais mieux que moi, je me disais que…

Fred. Il a dit *Fred* ?

Il a dit *Fred*.

JEUDI 18 JUIN,
LE MATIN.

★ Je fixe le plafond de ma chambre depuis de longues minutes. Mon cerveau est engourdi, mes yeux sont fatigués, mon corps est inerte. Je suis dans cet état léthargique depuis que je me suis réveillée, il y a une heure environ. Je ne dois pas être belle à voir…

J'ai le moral à plat.

Thibaud.

Fred.

Fred.

Thibaud.

Thibaud et Fred.

Fred et Thibaud.

Thibaud et Fred. Fred et Thibaud. Thibaud et Fred.
Fred et Thibaud. Thibaud et Fred. Fred et Thibaud.

Je deviens folle.

Et ce matin, c'est l'examen d'histoire.

Et demain, c'est l'examen de maths.

Et après-demain soir, c'est le bal.

Je me sens vide.

Seule.

Nouille.

Grosse.

Laide.

Épaisse.

Et j'en passe…

* * *

Je savais qu'à partir du moment où je connaî-
trais les sentiments de Thibaud, mon angoisse allait
se dissiper. Et c'est ce qui est arrivé. Il a suffi que Thibaud prononce le nom de Fred pour qu'elle dispa-
raisse (mon angoisse, pas Fred). Mais la place n'est
pas restée vide très longtemps. C'est maintenant un
chagrin immense qui occupe tout l'espace…

Mardi après-midi, la première chose que j'ai
faite en rentrant à la maison, c'est m'effondrer sur
mon lit et pleurer toutes les larmes de mon corps.
Roger, mon chat, a eu le plaisir de m'assister dans
cette première crise. Je lui ai tout raconté et il a été
très réceptif. Roger est le meilleur chat du monde.

La deuxième chose que j'ai faite, c'est m'effondrer sur le lit de mon grand-père, qui était en train de lire, pour pleurer, encore une fois, toutes les larmes de mon corps. Je lui ai tout raconté, à lui aussi. Comme Roger, il m'a écoutée sans dire un seul mot. Grand-Théo est le meilleur grand-père du monde.

La troisième et dernière chose que j'ai faite, c'est téléphoner à Fred. Cette fois, j'ai encore pleuré, mais j'ai ri aussi, et j'ai pleuré, et j'ai ri encore, pour me remettre à pleurer. Fred, au bout du fil, était dans le même état. Elle passait du rire aux larmes comme moi. Je lui ai raconté ma conversation avec Thibaud en lui rapportant tous les détails : à quel point il trippe sur elle depuis la danse du carnaval (elle avait donc vu juste), à quel point il a envie de l'inviter au bal, à quel point il la trouve belle, drôle, intelligente, originale… (Rien pour me remonter le moral !)

J'ai aussi décrit à Fred le pire moment de ma conversation avec Thibaud, celui où je lui ai annoncé qu'il avait de bonnes chances avec elle. Fred sait donc que Thibaud, à l'instant même où il a appris la nouvelle, s'est mis à rire nerveusement, à cligner des yeux, à se pincer pour être certain qu'il ne rêvait pas, à se passer sans arrêt la main dans les cheveux… Fred sait qu'il était fou de joie. Ce que Fred ne sait pas, cependant, c'est à quel point je l'ai trouvé beau à ce moment-là. TELLEMENT, TELLEMENT, TELLEMENT BEAU ! Je ne l'avais encore jamais vu comme ça. Il rayonnait. J'aurais tellement aimé qu'il soit dans cet état-là pour moi… Donc, Fred sait tout. Enfin, presque tout. Fred, qui est désolée pour moi (et je la crois), mais qui est tellement heureuse de savoir que Thibaud est fou amoureux d'elle. Je la comprends… TELLEMENT !

Être honnête avec Fred, c'était la meilleure chose à faire. Grand-Théo trouve que je suis courageuse. Je ne sais pas si c'est du courage. Je sais juste que je n'ai pas envie de perdre Fred. Ni Thibaud, d'ailleurs. Je sais aussi que le sentiment amoureux, ce n'est pas quelque chose qu'on peut maîtriser. Je m'en suis bien rendu compte. Je ne peux pas empêcher Thibaud d'aimer Fred. Et vice-versa.

TOUJOURS LE JEUDI 18 JUIN, UNE HEURE PLUS TARD…

★ Je longe les murs des corridors de l'école comme un fantôme. Je finis même par me dire que je dois en être un pour vrai parce que personne ne me remarque. Pierrot est passé tout près de moi tout à l'heure sans rien me dire. Il y a deux minutes, Antoine m'a presque foncé dedans sans s'excuser ni me saluer. Et là, Picasso vient tout juste de dévaler les escaliers en coup de vent devant moi et a fait comme si je n'étais pas là.

Qu'est-ce que je disais, moi, il y a quelques minutes ?

Que je me sens vide. Seule. Nouille. Grosse. Laide. Épaisse. Et transparente.

Je viens tout juste de sortir de la salle où a eu lieu l'examen d'histoire. Je suis en sueur. Celui-là, c'est certain que je l'ai raté. Jamais je ne me suis autant cassé la tête sur un sujet aussi pénible. Épuisée, je dépose mes cahiers sur le premier banc que je vois et je ferme les yeux. Si j'étais la fée Clochette, je transformerais sur-le-champ mon fauteuil roulant en lit King.

— Tu veux une épaule pour dormir ?

François Janvier est assis à côté de moi. Je ne l'ai pas entendu venir.

— Je dormais ?

— Tu ronflais.

— Je ronfle pas !

— Oui, tu ronfles.

— Bon, une autre affaire…

— Comment ça ?

Je me sens vide. Seule. Nouille. Grosse. Laide. Épaisse. Transparente. Et en plus, je ronfle…

— Laisse tomber…

— Ça va pas ?

— Bof…

Je n'ai pas envie de parler. J'ai fait ça toute la soirée, hier. Là, je veux dormir. Je peux dormir ?

— Tu viens demain soir ?

— Hein ?

— Demain soir, tu vas être là pour le décor ? Moi, je dois venir préparer la chaîne stéréo…

Merde ! J'avais complètement oublié ! Demain, toute la soirée, plusieurs élèves seront à l'école pour monter le décor du bal! Ouach! Beurk! Pouah! ÇA NE ME TENTE PAS!

— Alors, tu vas venir?

— Ça dépend…

— Ça dépend de quoi?

— Ça dépend de mon moral.

— Qu'est-ce qu'il a, ton moral?

— Y a pas envie de venir demain soir.

— Picasso va t'en vouloir à mort si tu viens pas.

— Peut-être, mais c'est comme ça.

— Clara, je peux faire quelque chose?

— Oui… m'aider à creuser ma tombe.

— Oh là! Mais tu vas vraiment pas bien! Qu'est-ce qui se passe, Clara?

— Je veux pas en parler.

— J'ai passé deux heures avec toi l'autre jour. On a parlé, ça m'a fait du bien.

— Je sais… Écoute, François, là, ça me tente pas. Peut-être plus tard. O.K.?

— Bon, alors on change de sujet.

— Bonne idée. Donne-moi des nouvelles de ta sœur.

— Ouf… j'en ai assez parlé. Je fais rien que ça depuis une semaine. Y a rien de neuf.

— Bon, ben, on a deux sujets à éviter: mon moral pis ta sœur. On fait quoi, d'abord?

— Si on allait dîner?

★ Nous avons eu le dernier examen ce matin. Et ce soir, c'est la préparation du bal qui commence. L'école ressemble à une ruche et c'est Picasso qui en est la reine. Ou plutôt le roi. Un roi qui donne des ordres à droite et à gauche, qui crie et qui gesticule tellement dans tous les sens que son crâne chauve est luisant de sueur. Il énerve tout le monde, mais on n'a pas vraiment d'autre choix que de l'endurer : *he's the boss !* C'est fou de voir un homme aussi petit que lui en imposer autant. Personne ne le contredit (et personne n'a intérêt à le faire !).

On a transporté tous les éléments du décor et les accessoires dans l'agora. Maintenant, il faut tout assembler. C'est un vrai casse-tête ! Il y a des trucs partout : des meubles, des chaises, des tables, des lampes… Je regarde ça et je ne sais pas comment on va faire pour s'y retrouver : tout est pêle-mêle ! Mais Picasso a l'air de savoir où il va et comme c'est lui le patron… Dom et moi travaillons sur l'éclairage. Il faut que nous démêlions un paquet de rallonges électriques qui serviront à alimenter le gros luminaire central, une espèce de grosse araignée en métal avec plein de petites ampoules rondes au bout des pattes… Ça a l'air un peu bizarre, mais je vous assure que ça donne un méchant coup d'œil ! Ce n'est pas une tâche vraiment amusante, mais je m'en fous. Comme je ne peux pas laisser tomber Picasso et mes amis et que je n'ai pas envie non plus d'être ici, je fais ce qu'on me demande sans me plaindre en me disant que plus vite ce sera fini, plus vite je pourrai retourner chez moi.

Dom est super-gentille avec moi. Peut-être un peu trop, même. En fait, tout le monde est un peu trop gentil avec moi. Comme si j'avais le mot « chagrin » tatoué sur le front. Je dois vraiment avoir un drôle d'air parce que tous ceux qui m'abordent pour me demander quelque chose me parlent doucement, comme à un bébé. Ça devient très agaçant ! Il n'y a que Picasso qui fait comme si j'étais dans mon état normal et qui gueule après moi comme après tous les autres. Ça me fait apprécier ses sautes d'humeur.

Je n'ai pas encore vu Fred et Thibaud. Dom m'a dit qu'ils travaillent tous les deux au montage des murs dans la cafétéria. C'est une très bonne chose qu'ils ne soient pas dans mon champ de vision. Les imaginer ensemble est déjà assez difficile (je ne fais que ça depuis quelques jours !), si en plus il fallait que je me tape la version *live* de leur amourrrrr, je ne suis pas certaine que j'apprécierais le spectacle. Je fais déjà de gros efforts pour avaler toute cette histoire ; il ne faut pas m'en demander plus.

L'agora est un grand espace ouvert. Il y a un peu partout des bancs aménagés comme des gradins. Ça ressemble à un grand escalier avec des marches très larges. En ce moment, Dom et moi, nous sommes juste en haut, ce qui nous permet de voir tout ce qui se passe en bas. Il y a du monde partout ; ça court, ça rit, ça s'active de tous bords, tous côtés.

Au loin, je vois François Janvier qui donne des coups de pied dans les haut-parleurs et qui engueule le gars avec qui il travaille. En tant qu'animateur du bal, François doit brancher la chaîne hi-fi et faire les tests nécessaires… Ça, c'est s'il ne détruit pas tout le matériel avant ! Il est tellement impatient qu'à un certain moment, il envoie valser un micro qui atterrit malencontreusement sur la tête de… Picasso. Mauvais endroit au mauvais moment. Je ne vous raconte pas la scène…

* * *

— J'ai besoin de prendre l'air, tu viens avec moi ?

François passe nerveusement la main dans ses cheveux en bataille. Il est rouge comme une tomate.

— C'est Picasso ?

— Il vient de m'engueuler à cause du micro…

— Ouais… j'ai vu. Il est sur les nerfs, tu sais…

— Il est con, surtout. Alors, tu viens ou non ?

— J'ai presque fini… Je peux aller te rejoindre dans quelques minutes ? Tu t'en vas où ?

— Euh… dehors, devant l'école…

François redescend les marches de l'agora rapidement et fait un doigt d'honneur à Picasso qui a le dos tourné. Je souris.

— Il te fait rire, lui, maintenant ?

Dom me regarde très sérieusement.

— Je sais pas. Il m'amuse.

— T'as pas toujours dit ça de lui.

— Je sais. Les choses peuvent changer.

— J'ai un peu de difficulté à te suivre, Clara.

François Janvier a toujours été ton ennemi numéro un, pis, là, on dirait que vous êtes les meilleurs amis du monde !

— T'es jalouse ?

— Pas une miette ! Mais avoue que c'est un drôle de changement.

— Je sais… Mais depuis qu'on s'est parlé l'autre jour, j'le trouve un peu moins chiant. Y a encore son petit côté arrogant, mais ça me tombe moins sur les nerfs. Et pis il s'est excusé…

— Hein ? Quand ça ?

— Hier midi. On a dîné ensemble à la café, pis il s'est excusé pour tout…

— Tout ? Les vacheries ? Les blagues stupides ? Les commentaires niaiseux ?

— Tout.

— Des vraies excuses ?

— Des vraies.

— Ben, voyons ! J'y crois pas !

* * *

Moi non plus, je n'y croyais pas. Hier, François et moi avons dîné ensemble à la cafétéria. Une première ! Alors qu'il mâchouillait un immense sandwich au jambon, il s'est arrêté subitement, a posé son sandwich dans son assiette, a repoussé la mèche de cheveux qui lui cachait le visage et m'a regardée droit dans les yeux.

— Je suis désolé, Clara.

Je n'ai pas répondu (j'avais la bouche pleine de salade de macaronis), mais je lui ai lancé un regard en forme de point d'interrogation.

— Je m'excuse pour les blagues stupides…

— Tumpefftonnefs. (J'avais encore la bouche pleine.)

— Non, ne dis rien. Je suis souvent allé trop loin. T'avais raison quand on s'est parlé l'autre jour. J'ai manqué de classe à ton égard. Plusieurs fois. Je voulais… je voulais t'agacer parce que…

Sa phrase est restée en suspens et il a baissé les yeux.

— Écoute, François, j'accepte tes excuses, mais tu sais aussi bien que moi que je n'ai pas toujours été très reposante…

— Contente que tu le reconnaisses. Mais je voulais quand même m'excuser officiellement.

— Alors, je m'excuse aussi.

Eh oui, j'avais quelques petits trucs à me faire pardonner, moi aussi. Pour faire la guerre, ça prend deux clans. Si c'est François qui l'avait déclarée, moi j'avais été celle qui l'avait encouragée. Parce qu'il est peut-être le roi de l'insulte, mais, moi, je suis parfois la reine des emmerdeuses. C'est vrai que Janvier m'envoyait des vacheries. Assez souvent, même. Mais depuis l'aventure de l'ascenseur (la fois où j'ai poussé un peu loin ma vengeance), combien de fois j'ai fait exprès de lui bloquer le chemin avec mon fauteuil, combien de fois je lui ai roulé sur les pieds en faisant semblant de ne pas l'avoir vu, combien de fois je lui ai fermé la porte d'une salle de classe au nez… Des petits gestes stupides, mais que je prenais un malin plaisir à commettre. Non, je n'étais pas blanche comme neige dans cette histoire. Je devais le reconnaître. Mais c'était si amusant de le faire se fâcher! Et j'aimais tellement lui répliquer des trucs méchants! On était coincés, lui et moi, dans un cercle vicieux depuis trop de temps et il fallait que ça cesse parce que personne n'y trouvait son compte. Ni lui ni moi.

— La guerre est finie, Clara. Tu veux bien?

Il a tendu une main vers moi. Une grande main solide dans laquelle j'ai posé la mienne. François me regardait avec des yeux que je ne reconnaissais pas. Au contact de sa peau, j'ai senti un grand frisson secouer le haut de mon corps. François a gardé ma main longtemps dans la sienne. Assez longtemps pour nous mettre mal à l'aise tous les deux.

— O.K., François, la guerre est finie.

J'ai retiré ma main et j'ai brandi bien haut au-dessus de ma tête ma serviette de table. François a fait la même chose. Nous les avons agitées comme s'il s'agissait de deux drapeaux blancs. Les affrontements étaient terminés. Il y avait au moins une chose de positive dans ma vie.

* * *

Je rejoins François qui est assis sur le gazon, devant l'école.

— Ça va?

— Bof… Picasso me pompe l'air.

— Il a quand même reçu un micro sur la tête…

— Il a une tête, lui? Vraiment?

— On dirait que t'as deux ans et demi.

— Pis, toi, tu me parles comme ma mère.

— Oups... la trêve est finie ? On repart en guerre ?

— Non, non. Excuse-moi. Je pense que je suis sur les nerfs, moi aussi.

— T'as de la misère avec la chaîne stéréo ?

— La chaîne est pourrie, le *twit* qui travaille avec moi est pourri et l'Picasso est pourri, lui aussi.

— Tantôt il était con.

— Ben là, y est pourri.

— Donc, Picasso est un con pourri et il te pompe l'air.

Je ne peux pas faire autrement que glousser comme une dinde.

— Tu te fous de ma gueule ?

— T'es vraiment le champion des insultes !

— T'as rien entendu, je pourrais être encore plus vulgaire...

— C'est drôle, j'ai pas de peine à te croire.

— Ouais, c'est vrai, tu y as déjà goûté...

— Un peu, oui, et je suis moi aussi capable de jouer à ce petit jeu-là...

Et nous voilà, lui, François Janvier, et moi, Clara Destroismaisons-Parenteau, tous les deux assis dehors, moi dans mon fauteuil, lui à mes pieds, à la pleine lune, dans le stationnement de notre école, la veille de notre bal des finissants, en train de nous chuchoter les pires insultes de notre vocabulaire. C'est une conversation franchement ridicule, mais c'est tellement bon de rire comme ça ! Ça faisait longtemps que ça ne m'était pas arrivé.

Malheureusement, ce moment d'euphorie est de courte durée. Derrière moi, j'entends des rires étouffés. Je me retourne pour voir de qui il s'agit, mais il fait tellement sombre que je ne distingue que deux silhouettes.

— Tu vois qui c'est ? que je demande à François en plissant les yeux pour essayer de mieux voir.

— Attends, j'vois rien ! Euh… je pense que c'est Thibaud Desjardins et ton amie Fred.

Je déglutis. Ils viennent de passer sous un des lampadaires qui éclairent le stationnement. Thibaud et Fred. Thibaud et Fred qui se tiennent par la main.

— Ils sont ensemble, ces deux-là ?

— Allez, on rentre !

Je viens presque de crier. François me regarde, intrigué. Il pose une main sur mon genou droit.

— Doucement, ma belle. T'es bien pressée tout d'un coup ! Tu viens juste d'arriver.

Je ne me rends pas compte que son ton est tendre, presque affectueux.

— On a plein de boulot à faire. Je veux pas mettre les autres en retard.

Les deux amoureux sont maintenant enlacés. Thibaud caresse la joue de Fred d'une main pendant qu'elle, elle referme ses bras autour de sa taille… et ils s'embrassent.

Je vais être malade.

Non, je vais plutôt tomber dans les pommes.

Encore mieux : je vais être malade ET tomber dans les pommes. François m'observe avec curiosité.

— Clara, y a quelque chose qui va pas, et je pense que je sais ce que c'est…

— Laisse faire. On rentre, je te dis.

Je ne l'écoute plus. Je me dirige vers la porte aussi vite que je le peux.

SAMEDI 20 JUIN,
12 H.

★ — Qu'est-ce que tu fais encore au lit?

— Pour une fois, je fais la grasse matinée…

— Il est midi, Clara. T'as dormi tout ce temps-là?

— Tu devrais m'applaudir. Je mérite une ovation.

— T'es de mauvaise humeur…

— Mais non, juste un peu fatiguée.

— À quelle heure t'es rentrée hier soir?

— Ce matin, tu veux dire. Il était presque deux heures…

— Il vous a gardés longtemps, votre Picasso!

— Mets-en! Un peu plus pis on dormait là-bas…

— Tout est prêt pour ce soir?

Ça doit. Quand je suis partie, il restait rien que les accessoires à installer.

— Ah bon… Ça va être une belle soirée, tu penses pas?

— Bof…

— …

— …

— Ton amie Frédérique a appelé. Dominique aussi. Deux fois.

— Fred et Dom! Il faut dire Fred et Dom.

— Ce ne sont pas mes amies à moi. Les surnoms, c'est entre vous.

— Peut-être, mais quand tu dis *Frédérique* et *Dominique*, c'est comme si tu me parlais de deux filles que je ne connais pas…

— T'es vraiment d'une humeur massacrante, toi. On se parlera plus tard.

— Attends, t'en vas pas. C'est pas ta faute. Je suis désolée…

— Fatigue, stress, peine d'amour, c'est un cocktail assez explosif!

— Je m'excuse, grand-papa. Je suis pas du monde…

— Excuses acceptées. Tu veux rester au lit encore un peu?

— Non. Je me lève. J'ai mille choses à faire avant ce soir.

— Comme aller chez la coiffeuse?

— Merde! C'est vrai!

— Ton rendez-vous est à quinze heures. Tes copines ont dit qu'elles iraient te rejoindre au salon.

— O.K.

★ *Linda Pilote Capillaire* est peut-être le salon de coiffure le plus quétaine de toute la ville, ce qui ne l'empêche pas d'être toujours bondé. La propriétaire, Linda Pilote elle même, est une coiffeuse assez branchée qui mise sur le travail bien fait plutôt que sur l'ambiance ou la déco. On est donc certain de sortir de là avec une tête super-chouette, mais en revanche il faut endurer le rose saumon sur les murs, les fauteuils en vinyle turquoise, les comptoirs en formica, les vieilles affiches défraîchies dans les fenêtres et la musique en sourdine, venant toujours d'un poste de la bande AM. Ici, pas de grands miroirs design, de reproductions d'œuvres d'art sur les murs, de cappuccinos offerts à la clientèle ni de musique tendance. Mais pas non plus de coupe Longueuil ou de toupet crêpé ! Linda ne s'intéresse qu'à la tête de ses clientes et ne les laisse sortir que lorsqu'elle-même est satisfaite du résultat. La coiffure ? Elle est tombée dedans quand elle était petite...

J'arrive au salon à l'heure prévue. Fred est déjà là. Elle est assise dans l'entrée et feuillette un magazine à potins. Près d'elle, il y a plusieurs dames qui ont l'air de papoter avec beaucoup d'entrain. Je reconnais plusieurs clientes de la boutique de Grand-Théo.

Lorsqu'elle me voit à travers la baie vitrée, Fred accourt pour m'ouvrir la porte.

— Allô, Clara! Je suis contente de te voir!

Elle est radieuse.

— Je suis tellement excitée! Pas toi?

Elle est adorable.

— Tu te rends compte, Clara? Ce soir! Le bal! Déjà!

Elle est… amoureuse.

— Alors, il embrasse bien?

C'est bête, ce que je viens de lui dire. En plus, ça sonne faux. Je veux donner l'impression que je suis au-dessus de tout ça, mais je transpire la jalousie.

— Euh… il te l'a dit?

— Non. Je vous ai vus.

— Ah…

— Dans le stationnement.

— Ah…

— Hier soir…

— Ah… Clara, je…

— Dis rien. Je vais finir par m'habituer…

C'est difficile, mais j'arrive à lui sourire. Elle retourne à sa place pendant que je dis bonjour aux clientes que je reconnais. L'une d'elles, Mme Dubreuil, fait de l'œil à Grand-Théo depuis plusieurs années. Mais mon grand-père reste de marbre devant ses avances. Elle est chouette, pourtant, Mme Dubreuil. Mon grand-père deviendrait-il misogyne avec le temps? Cette idée me fait sourire, ce que cette charmante Mme Dubreuil prend pour des salutations.

Alors que je rejoins Fred qui se trouve près de la caisse, Dom fait son entrée.

— Salut! Ça va, vous deux?

Elle aussi est en pleine forme. Il n'y a que moi qui ne pète pas le feu.

— Alors, prêtes pour la métamorphose, les filles?

Linda vient vers nous avec ses deux jeunes assistantes.

— Donc, on se la joue années soixante aujourd'hui, c'est ça?

— Ouais! répond Dom. Sixties de la tête aux pieds.

Linda a déniché de vieux magazines dans lesquels on trouve des photos de coiffures de l'époque. Elle les montre à Dom et à Fred qui s'excitent comme deux enfants. J'ai droit à des «oh!» et des «ah!» qui en disent long. Mon choix à moi est déjà fait, puisque je suis venue consulter Linda il y a quelques semaines. J'ai craqué pour un cliché de Brigitte Bardot qui porte un chignon un peu brouillon. Linda m'a dit que ça m'irait très bien. Si elle réussit à faire quelque chose avec tous ces kilos de longs cheveux noirs que j'ai sur la tête et qui me tombent jusqu'au milieu du dos, eh bien, je lui donne un trophée! Moi, ça fait longtemps que j'ai cessé de me battre avec mes cheveux.

Linda et ses deux assistantes nous amènent vers les lavabos. La fille qui me lave les cheveux s'appelle Alice. Elle doit avoir à peu près vingt ou vingt et un ans. Elle a un piercing dans le nez, un autre au menton, et ses cheveux sont rouge électrique. C'est un peu déstabilisant pour les yeux, mais je la trouve très jolie. Parfois, j'aimerais bien avoir un look comme ça, mais je n'ose pas. Ma tête est assez ordinaire. Le seul truc que je me permets quelquefois, c'est d'entourer mes cheveux avec un large bandeau. Grand-Théo adore ça, quand je suis coiffée de cette façon-là. Il trouve que je ressemble à une bohémienne. Une vraie Esméralda, qu'il dit !

— T'as toute une tignasse, toi !

Alice a vraiment l'air impressionnée par l'épaisseur de mes cheveux. Elle masse lentement mon cuir chevelu et je sens mon corps tout entier se ramollir. C'est super-apaisant ! Elle pourrait passer le reste de l'après-midi à faire ça et je jure que je me laisserais faire sans dire un mot.

SAMEDI 20 JUIN, 16 H 55.

★ Il est presque dix-sept heures quand mes copines et moi arrivons à la boutique de Grand-Théo. C'est ici que sont entreposés depuis quelques jours nos vêtements pour la soirée. On va pouvoir s'habiller tranquillement et profiter de tous les miroirs du magasin (parce qu'il y en a vraiment beaucoup). En prime, on a aussi un couturier d'expérience qui va pouvoir faire des petites retouches ! Et il ne se fera pas prier pour jouer son rôle : Grand-Théo adore son métier et toutes les occasions sont bonnes pour qu'il sorte ses aiguilles et ses bobines de fil. C'est aussi dans sa boutique que va avoir lieu notre avant-bal. Grand-Théo a proposé de sabler le champagne avec mes amies et leurs parents qu'il a invités à venir nous rejoindre ici un peu plus tard.

La boutique de mon grand-père est une vieille mercerie qui a ouvert ses portes il y a presque soixante ans. C'est un vieil établissement avec des boiseries, des étagères en acajou et un beau parquet de bois foncé. Quand Grand-Théo était petit, le magasin appartenait à son père. Et tout comme ce dernier, il en a toujours pris soin comme si c'était la prunelle de ses yeux. Moi, je trouve que c'est le plus beau commerce de la rue.

En entrant dans la boutique, je retiens mon souffle : il y a des bouquets de fleurs blanches partout sur les comptoirs et les étagères.

— Wow ! c'est super-beau, monsieur Théo !

— Ah oui ! c'est débile, l'effet que ça donne ! Vous avez eu une bonne idée !

Mes amies applaudissent. Ça me fait sourire.

— Grand-papa, t'es un as de la déco ! Je m'incline devant toi…

— Et vous, vous vous êtes regardées ? Vous êtes superbes, les filles !

Grand-Théo est en état de choc. Fred a fait couper ses cheveux tout court. Ça lui va très bien. Dom a fait remonter sa longue crinière en une grande queue de cheval qui retombe sur sa tête en gros boudins. L'effet est impressionnant.

— Clara, tu es magnifique.

Mon grand-père a les yeux pleins d'eau. Ça me met mal à l'aise de le voir ému comme ça. Mais c'est vrai que Linda a réussi quelque chose de vraiment étonnant avec ma tignasse. Mes cheveux sont remontés négligemment vers l'arrière et j'ai de longues mèches bouclées qui retombent sur les côtés de mon visage. Et c'est sans parler du maquillage! Janine, l'esthéticienne qui travaille au salon, nous a littéralement transformé le visage. Ce sont mes yeux qui sont les plus spectaculaires. Avec tout ce khôl et ce mascara, je suis méconnaissable.

— Attendez-moi! Je reviens…

Grand-Théo s'en va dans l'arrière-boutique et réapparaît quelques minutes plus tard avec les housses qui contiennent nos vêtements.

— Mesdames…

Il prend son rôle de costumier très au sérieux. Avec ses lunettes sur le bout du nez, il sort une à une les robes de Fred et de Dom.

— Mesdames, si vous voulez bien passer à l'essayage…

Mes deux amies se prêtent au jeu avec enthousiasme.

* * *

La mère de Dom et les parents de Fred sont fascinés par notre transformation. Il faut dire que nous sommes vrrrraiment métamorphosées. Fred a une petite robe verte très courte avec des manches bouffantes, ainsi que de longues bottes noires. Ses yeux sont pailletés d'or et un immense collier de perles orangées pend à son cou. Avec ses tout nouveaux cheveux courts, l'effet est incroyable! Dom est elle aussi assez impressionnante dans sa longue robe argentée. Elle porte d'interminables bottes violettes et de gros anneaux dorés aux oreilles. Moi, je suis très fière des vêtements que Grand-Théo a confectionnés pour moi, et je dois avouer qu'avec les bottes rouges que mes copines m'ont dégotées, le résultat est saisissant. Grand-Théo propose un toast aux « beautés » que nous sommes. Il raconte un truc sur les chenilles qui deviennent papillons... Ça me gêne un peu, mais c'est avec enthousiasme que je lève mon verre comme les autres.

L'atmosphère qui règne dans la boutique en ce moment est vraiment particulière. Les fleurs, les sourires de Grand-Théo, de la mère de Dom et des parents de Fred, l'excitation de mes copines... Je me rends compte soudain que je pourrais peut-être en profiter pleinement, moi aussi, si je mettais pendant quelques heures ma peine de côté. Je veux passer la soirée avec mes amies. Je le veux vraiment. Et je veux que ce soit une belle soirée. Nous sommes ensemble depuis cinq ans, Fred, Dom et moi. Nous avons partagé plein de bons moments. Ce que Fred et moi vivons présentement, c'est une grosse difficulté, c'est vrai. Mais elle n'est peut-être pas insurmontable. Est-ce que je peux ranger mon chagrin? Est-ce que j'en suis capable? Je ne sais pas trop. Mais ce que je sais, c'est que je peux essayer. Je peux essayer très fort. J'ai la vie devant moi pour pleurer ma peine d'amour. Ce soir, je n'en ai pas envie. Je veux m'amuser. Et comme j'ai une tête de cochon, je vais tout faire pour y arriver !

SAMEDI 20 JUIN,
19 H.

★ La Westphalia d'Armand, le père de Fred, est d'une couleur indéfinissable. Un ton de jaune qui se situe quelque part entre celui de la banane et celui de la moutarde de Dijon. Les grandes bandes brunes qui bordent les portes et la bombonne de gaz fleurie juchée à l'arrière lui donnent une allure assez insolite.

Dom est assise avec moi derrière. Je prends tellement de place avec mon fauteuil qu'elle doit mettre ses pieds sur moi pour être à l'aise. Heureusement qu'on ne s'en va pas en Gaspésie !

Nous arrivons dans le stationnement de l'école. Un stationnement rempli de limousines blanches et noires. La Westphalia jaune banane détonne un peu dans ce décor, mais cela a un effet assez amusant : tous les regards se tournent vers nous.

— Je vous l'avais dit, les filles ! Ma bagnole a plus de classe qu'une limo !

Armand est très fier de son véhicule. Et comme si notre entrée n'était pas assez remarquée, il se met à klaxonner. Fred est un peu gênée, mais, Dom et moi, on rigole ferme.

— Encore! Encore! Plus fort! Plus fort!

Le père de Fred ne se fait pas prier. Il continue à jouer du klaxon.

— Arrête, papa! Ça va faire!

Fred est écarlate. Lorsque Armand gare enfin sa camionnette tout près de la porte principale, elle est la première à bondir sur le trottoir (parce que, pour des raisons que vous comprendrez, c'est rarement moi qui mets le pied dehors la première). Elle m'ouvre la porte en vociférant:

— Non mais, on dirait un ado!

— Moi, je le trouve drôle!

— C'est ça, Clara, encourage-le en plus!

— Quand tu veux!

J'ai droit à un beau rire jaune de sa part. Un rire jaune comme la Westphalia de son père.

Quand nous nous retrouvons toutes les trois hors de la camionnette, Armand nous embrasse chaleureusement avant de reprendre sa place derrière le volant. Il reviendra nous chercher à la fin de la soirée pour aller au chalet. Parce qu'en plus du bal, nous aurons droit à un après-bal! Et le chalet des parents de Fred, c'est vraiment l'endroit idéal pour ça: c'est une super grande maison en bois rond au bord d'un lac en plein milieu de la forêt, à environ une heure d'ici. Armand et Juliette, la mère de Fred, nous ont dit un peu plus tôt qu'on pourra chanter autour du feu toute la nuit, se baigner à trois heures du matin, dormir à la belle étoile et même manger des crêpes en pyjama à midi sur le quai, si ça nous tente! C'est le cadeau qu'ils nous offrent pour la fin de nos études secondaires.

Si *ça nous tente*?

Question stupide! Qui pourrait refuser une occasion comme celle-là?

— Ayoye, les filles! vous êtes belles, ç'a pas de bon sens!

Le compliment vient de Jules. Jules qui est en compagnie de Thibaud. Thibaud qui est… Arrgh! Je pourrais passer des heures à vous peindre le portrait de mon amoureux qui n'est pas mon amoureux, celui qui se tient devant moi en ce moment même… Mais comme ça risquerait d'être ennuyeux, je vais opter pour une version plus courte: Thibaud est… beau. Il est beau. Il est beau. Il est beau. Et il dévore des yeux sa nouvelle petite amie, qui, bien entendu, n'est pas moi…

— Fred, tu es… tu es…

Thibaud se tait. À mon avis, ce n'est pas le moment de se taire. Qu'est-ce qu'il allait lui dire? Qu'elle est belle? Aidons-le un peu…

— Belle. Elle est belle, belle, belle, ta blonde.

Je leur souris à tous les deux. Fred se blottit dans les bras de Thibaud, qui l'embrasse dans le cou. Ça me met tout à l'envers, de les voir comme ça, mais j'ai dit plus tôt que je voulais que cette soirée soit agréable et inoubliable. J'ai dit aussi que je voulais mettre ma peine de côté pour quelques heures. C'est donc maintenant que ça commence. C'est maintenant que je mets de l'eau dans mon vin. Maintenant, et pour tout le reste de la soirée.

* * *

*Ça s'en va et ça revient, c'est fait de tout
petits riens,
ça se chante et ça se danse,
et ça revient, ça se retient, comme une
chanson populaire,
l'amour, c'est comme un refrain, ça vous
glisse entre les mains,
ça se chante et ça se danse,
et ça revient, ça se retient, comme une
chanson populaire...*

La voix de Claude François (un chanteur français démodé à souhait) crève les haut-parleurs. Il y a déjà pas mal de monde dans l'agora, et l'ambiance est planante au maximum! Derrière son micro, mon ex-ennemi François Janvier attend la fin de la chanson pour poursuivre son animation. Avec son petit look rétro, on dirait Johnny Hallyday version 1966 (et Johnny Hallyday, à cette époque-là, était VRAIMENT canon: grand, cheveux courts tout droits sur la tête, lèvres charnues, chemise blanche ouverte sur la poitrine et blouson de cuir noir). Je m'étonne de le trouver attirant, moi qui n'ai toujours vu en lui que le pauvre *twit* qui me faisait royalement chier. Soudain, je repense à ma main dans la sienne il y a quelques jours, à sa main sur mon genou et à son regard affectueux hier soir... Ces pensées me troublent un brin.

On croirait vraiment à un retour dans le passé: les filles, les gars, les profs, tout le monde a joué la carte sixties. Avec le décor, les accessoires et la musique, le résultat est hallucinant ! Hier soir, en quittant l'école, je n'aurais jamais pu imaginer que tout notre travail allait donner quelque chose d'aussi monumental. Dom, Fred et moi, on se serre la main, très fort.

— C'est trop génial ! s'exclame Fred.

— Mets-en ! que je lui réponds.

— Et regardez, vous avez vu la bouffe ?

Jules pointe du doigt le centre de l'agora. De grandes tables rectangulaires sont occupées par un buffet qui ferait pâlir d'envie les plus fervents disciples des Weight Watchers.

— Hey ! y a même une fontaine de chocolat !

Au bout d'une des tables trône, en effet, une immense fontaine en verre de laquelle s'écoule du chocolat fondu. Wow ! Dites-moi que je rêve !

— Clara, on va devoir te surveiller !

Dom m'agace en pouffant de rire, car je suis folle du chocolat. J'aime tellement ça que si personne ne me regardait, je pourrais foncer sur cette fontaine et avaler une dizaine de litres de chocolat fondu sans défaillir !

— Je savais pas que t'aimais le chocolat tant que ça, me dit Thibaud.

Non, tu ne le savais pas. Et il y a autre chose que tu ne sais pas non plus. Dans une autre vie, peut-être, j'aurai la chance de te le dire. Mais pas dans celle-ci : j'ai promis de ne pas revenir là-dessus.

Devant nous, sur un immense écran, sont projetés des courts extraits de films datant des années soixante. Ça va de la danse yéyé à l'Expo 67 en passant par la guerre du Vietnam et la conquête de la Lune. C'est assez rigolo de comparer ces films avec ceux de notre époque. Disons que la qualité de l'image a beaucoup évolué ! Dans l'agora sont présentées plusieurs œuvres qui ont été créées par les élèves qui étudient en arts. Elles sont exposées un peu partout parmi le décor. Thibaud a peint une grande fresque qu'il a appelée « Destin ». Sa toile est abstraite, mais on sent un mouvement, comme celui du vent qui fait voler les feuilles l'automne. Thibaud m'a expliqué qu'il voulait, à travers son œuvre, « balayer son passé » et faire de la place pour son avenir. C'est une très belle métaphore. Et une très belle toile. Moi, j'ai fait un tout petit tableau au fusain. Il représente un corps nu volant au-dessus d'un gratte-ciel. Je voulais exprimer la liberté du corps et de l'esprit, et je crois que j'y suis arrivée. C'est en tout cas ce que me disent mes amis et Picasso. Dans l'agora, il y a aussi des photographies, des montages de toutes sortes et des collages imposants (parmi eux, on trouve celui de Dom et de Fred qui est assez original). Mais la création la plus impressionnante, c'est la grande sculpture qu'Antoine a modelée. Une reproduction géante de deux danseurs entrelacés (en fait, les deux danseurs en question, ce sont sa blonde, Mirabelle Grenier, et lui).

Alors que mes amis affamés se ruent vers le buffet, moi je reste plantée devant l'œuvre d'Antoine que j'examine sous tous les angles. La qualité de son travail me fascine. J'observe avec attention l'harmonie des courbes, le mouvement des deux corps, l'impression de sérénité qui s'en dégage…

— Méchant monument qu'Antoine a sculpté là, hein?

François Janvier est debout près de moi.

— Il doit l'aimer, sa blonde, poursuit-il.

— Oui, je pense même qu'il l'aime beaucoup. C'est assez touchant, ce qu'il a fait. Est-ce que tu sais comment elle a réagi? Elle a dû être surprise.

— Non, je sais pas. Mais je peux m'arranger pour le savoir. Je l'ai vue arriver un peu plus tôt avec Antoine.

— Tu joues les espions, maintenant?

Clin d'œil imprévu. De moi à lui.

— Je suis le meilleur espion en ville, tu le savais pas?

Un autre clin d'œil. De lui à moi.

Après ce petit échange oculaire complice, un long silence s'installe. Comme si on était mal à l'aise tous les deux d'être là, ensemble, l'un à côté de l'autre. Pourtant, les derniers jours, il n'y avait plus de gêne entre nous. Qu'est-ce qui est en train de se passer?

— T'es super-belle ce soir, tu sais. Tes yeux… ils sont vraiment bouleversants.

Qu'est-ce qu'il vient de me dire?

Est-ce que j'ai bien entendu? Mais oui, j'ai bien entendu… très, très bien entendu, même! Mais là, j'essaie de me faire croire que je n'ai pas bien compris : je suis assommée par le sens de ces treize petits mots qui viennent de tomber dans mon oreille ! *T'es super-belle ce soir, tu sais. Tes yeux, ils sont vraiment bouleversants…*

Trouble.

Malaise.

Embarras.

Confusion.

Je regarde François qui me regarde. C'est qu'il est franchement adorrrrable, ce soir ! Mais bon Dieu ! Qu'est-ce qui m'arrive ? Comment se sort-on de ce genre de situation ?

— Euh… merci. Je me disais justement la même chose de toi…

Voilà. C'est comme ça qu'on se sort de ce genre de situation. En se mettant à son tour les deux pieds dans le plat.

⋆   ⋆   ⋆

Sur chaque table, il y a une bouteille de vin. Une bouteille pour six personnes, ça ne garantit pas les dérapages, mais ça peut détendre le gosier. Et c'est ce dont j'ai besoin pour me calmer.

J'ai déjà dit que je rougissais difficilement… Eh bien, devant François Janvier, j'ai raté mon coup. Deux belles joues empourprées parce qu'il m'a dit que je suis belle, parce qu'il a été troublé par mes yeux. Mon ex-ennemi me complimente et PAF ! je flanche. La belle affaire ! Je ne dois JAMAIS perdre la face devant François Janvier, peu importe la situation, non ? Où est partie mon assurance ? Envolée en fumée ? Tout ça parce que Johnny Hallyday-Janvier vient de me dire qu'il me trouve belle et que j'ai eu le culot de lui avouer que, lui aussi, il me plaît ?

Jules et Thibaud s'empiffrent comme des porcs. On dirait qu'ils n'ont pas mangé depuis trois jours. Fred, Dom et moi, on préfère la discussion à la digestion. La conversation va dans tous les sens. D'abord, on parle de Marie Janvier. Son nom est sur toutes les lèvres. Je suis certaine qu'elle aurait fait une entrée très remarquée ce soir, au bras de son cousin. Elle avait tellement hâte de voir la réaction de ses amies ! J'attends qu'elle soit de retour chez elle pour passer la voir. Je ne sais pas si je serai en mesure de l'aider, mais j'aimerais pouvoir le faire. L'encourager, du moins. Parce qu'elle en aura bien besoin.

Mes copines et moi, on a un commentaire sur tout : les robes des filles, les cravates des garçons, la musique… Dom fait des prédictions sur les couples qui pourraient se former ce soir (ou se déformer… parce que, ça aussi, ça pourrait arriver !). Je n'ai pas raconté à mes amies ce qui s'est passé plus tôt entre François et moi. Je suis un peu gênée de leur avouer ce qu'on s'est dit. Je suis surtout gênée d'admettre que ça m'a troublée. Ce matin encore, il n'y avait que Thibaud qui pouvait me mettre dans cet état-là. Est-ce qu'on peut être attiré par plusieurs personnes en même temps ? Je ne parle pas d'amourrrrrr, mais de désir… Ça se peut ? C'est peut-être parce que je suis triste et que ça me fait du bien qu'on me donne de l'attention… C'est peut-être parce que c'est une soirée particulière ? L'ambiance, la musique, le vin… Peut-être aussi que je m'en fais un peu trop. Qu'est-ce que ça peut bien faire après tout ? Ce sont des compliments, et ça n'engage à rien, non ?

La soirée est super-agréable, malgré l'orage qui gronde à l'extérieur depuis quelques minutes. Ceux qui étaient dehors entrent à toute vitesse par la porte de la cafétéria en pouffant. À l'intérieur, cependant, il n'y a pas de tempête à l'horizon ! L'ambiance est toujours aussi géniale et la fête bat son plein. Les chansons démodées de Claude François qui jouaient au début de la soirée ont fait place aux vieux succès des Doors, des Beatles et des Rolling Stones et, sur la piste de danse, les danseurs s'agitent. Je les observe et les envie un peu. Si j'en avais la possibilité, j'irais me joindre à eux.

François Janvier est, tout compte fait, un très bon animateur. Il réchauffe la salle avec ses blagues et ses commentaires qui font rire ceux qui l'écoutent. La seule chose qui cloche, ce sont mes amis. Dom, Fred, Thibaud et Jules sont un peu trop sages : eux qui ont la réputation d'être des danseurs infatigables, ils sont tranquillement assis sur leurs chaises respectives et discutent de tout et de rien.

— Pourquoi vous y allez pas ?

— Quoi ? demande Dom.

— Danser. Pourquoi vous allez pas danser ?

— Ben… euh…

Dom est visiblement embarrassée.

— Ben… Ce serait pas super-gentil de te laisser toute seule ici. Pas ce soir.

— C'est ton bal à toi aussi, Clara. On veut pas que tu restes toute seule dans ton coin, renchérit Fred.

Je m'en doutais…

— Les filles, je vous adore, mais ça m'agace quand vous réfléchissez avec vos pieds ! Moi, j'aimerais ça vous voir danser.

— T'es certaine ?

— Vous allez pas attendre que mes jambes crient EURÊKA quand même ? Parce que vous risquez d'attendre longtemps… Très, très longtemps…

Timidement, Dom et Fred se lèvent, suivies de Thibaud et de Jules.

— Bon, ben, O.K., lance Dom, on va danser. Mais on te fait une chorégraphie juste pour toi, d'abord. Regarde bien ça !

Mes quatre amis se jettent sur la piste et me font le meilleur show en ville. Jules danse comme un pied, mais il est si comique que je ris comme une folle. Dom ne laisse pas sa place non plus : ses mouvements sont désordonnés et elle prend tant de place qu'elle fonce dans tous ceux qui sont près d'elle. J'en braille, tellement elle est maladroite ! Thibaud et Fred, plus discrets, se trémoussent avec un peu plus d'élégance, mais ils ne manquent pas, eux non plus, de se déhancher pour me faire rire. Je suis vraiment heureuse de les voir s'amuser. Je décide de me verser un autre verre de vin que je lève dans leur direction et je trinque à la chance que j'ai de les avoir dans ma vie.

*　　*　　*

Bon.
Le vin commence à faire effet.
Ça suffit.

Je dois être honnête avec moi.

C'est bien beau, toute cette belle volonté, tout ce gentil discours que je me tiens sur le fait que, ce soir, je vais mettre mon chagrin de côté, que je n'en voudrai pas à mes amis, que je ferai tout ce qui est en mon pouvoir pour que la soirée soit un succès, que patati, que patata… Tout ça, c'est pour sauver les apparences. Je joue la carte de la fille mûre qui parvient à affronter les difficultés de la vie, mais là, à cet instant même, je suis envahie par une immense tristesse et j'ai envie de pleurer comme un gros bébé. Je voudrais qu'on me berce et qu'on me dise que tout va bien. Trop de choses se sont passées au cours des derniers jours : les examens, l'accident de Marie, la préparation du bal, l'histoire de Thibaud et de Fred… Mais je prends aussi conscience que c'est la fin du secondaire, que l'an prochain je serai au cégep, que j'aurai devant moi de nouveaux défis, que mes amies sont belles, que le bal est un succès, que j'ai bu un peu trop de vin, que je suis toute seule, que je ne danse pas… Ce beau paquet d'émotions mélangées me torpille l'esprit et j'ai envie de le laisser s'échapper. Je retiens mes larmes parce que je ne veux pas bousiller la fête : ce n'est pas le moment d'avoir une tête d'enterrement et je ne veux pas embêter mes amies. Mais qu'est-ce qui m'empêche d'aller me cacher dans les toilettes quelques minutes pour évacuer mon trop-plein et revenir un peu plus tard, quand je me serai calmée ?

* * *

Le premier étage est désert. En fait, personne ne devrait se trouver ici en ce moment. Le seul éclairage provient des lampes de sécurité qui sont fixées au plafond du corridor. C'est à peine si leur lueur se rend jusqu'aux toilettes où je me trouve. Heureusement, parce que j'ai une gueule à faire peur, tellement mon maquillage a coulé. Je ressemble à une *drag queen* qui vient de terminer un pénible numéro de claquettes : j'ai chaud et j'ai les joues rouges, barbouillées de mascara. Mais je suis loin des regards et la seule qui peut admirer le spectacle de mes yeux boursouflés et noircis, c'est moi.

* * *

— Tu veux danser ?

Manifestement, je ne suis plus seule dans les toilettes du premier étage. La question et la voix de François Janvier résonnent dans mon oreille et me laissent stupéfaite.

— Qu'est-ce que tu fais là ? Tu me suis ?

— Je t'ai dit que j'étais le meilleur des espions.

— Pour espionner les autres, tu peux te servir de ton talent. Mais si c'est pour me suivre partout, j'aime moins ça.

— Tu veux danser ?

Ça fait deux fois qu'il me pose cette question idiote. Ça me choque.

— T'es con, Janvier. Tire-toi d'ici et laisse-moi tranquille.

Je me retourne vers le miroir en l'ignorant.

— Je suis sérieux. Tu veux danser ?

J'ai peut-être pris un peu trop de vin, tout à l'heure ; je me sens téméraire et je pourrais dire des bêtises. Je prends une grande inspiration.

— François, je pense que j'ai trop bu. Laisse-moi tranquille, sinon je pourrais te crier des grosses, très grosses conneries.

Il s'approche de moi et se penche. Son visage est à la hauteur du mien. Je sens la chaleur qui émane de son corps. Mon cœur s'emballe. Mais qu'est-ce que j'ai ?

— J'ai pas peur de toi, Clara Destroismaisons-Parenteau.

À ma grande surprise, il me soulève dans ses bras. Malgré sa carrure de joueur de rugby, il manque de nous faire tomber tous les deux, mais retrouve son équilibre en m'assoyant sur le comptoir, près des lavabos. Je suis déroutée par son geste, mais je le laisse faire, sans dire un mot (en fait, et c'est le cas de le dire : je suis paralysée !). Dans la pénombre, j'arrive à voir ses yeux. Jamais avant aujourd'hui on ne m'avait regardée comme ça. On entend en sourdine la chanson *À quoi bon pleurer ?*, un slow super-quétaine datant des années soixante (un des préférés de Picasso : on a dû l'entendre mille fois en classe cette année parce que monsieur notre prof d'arts voulait nous « mettre dans l'ambiance »). François passe ses bras autour de ma taille tout en suivant le rythme de la musique. Je ne bronche toujours pas.

— Tu danses vraiment comme un dieu, toi ! que je lui lance, ironiquement.

— Je danse comme un pied, tu veux dire. C'est pour ça que je préfère animer.

— C'est une façon de te cacher ?

— En plein ça. Comme ça, je me fais pas achaler...

— Tu te caches derrière autre chose aussi, non ?

— Euh... Tu parles de mon mauvais caractère, peut-être ?

— Oui. Parce que, dans les faits, tu es un grrrrand tendre, n'est-ce pas ?

— C'est possible, oui...

— ...

— ...

— C'est toi qui as choisi la chanson qui joue en ce moment ?

— C'est une demande spéciale de Picasso.

— Ça m'étonne pas. Moi, je peux plus l'entendre, cette toune-là...

— Peut-être, mais ça tombait bien qu'il me demande ça.

— Comment ça, *ça tombait bien* ? Pourquoi tu dis ça ?

— Ben, ça m'a permis de te suivre pour te demander : « À quoi bon pleurer ? »

Assez cucul comme approche. Il aurait pu faire mieux.

— Tu m'as suivie ?

— Je t'ai vue quitter la salle en coup de vent. T'avais les yeux pleins d'eau.

— Ah... On peut rien te cacher.

François me serre contre lui. J'appuie ma tête sur son épaule et je me laisse bercer. Sa peau sent le cuir. C'est assez enivrant...

— T'es amoureuse de Thibaud ?

Je déglutis. Quelle drôle de conversation nous avons là !

— J'étais amoureuse de lui.

— C'est pour ça que t'étais à l'envers, hier soir ?

— Hier soir ? Ça m'a fait drôle de le voir embrasser Fred. C'est pour ça que j'ai voulu rentrer.

— Et c'est pour ça que tu pleures ce soir ?

— Non. Oui. Je suis mêlée. Pour ça, pis pour d'autres choses. Parce que je suis fatiguée, surtout.

Je relève la tête. François approche dangereusement son visage du mien. De sa main droite, il me replace une mèche de cheveux derrière l'oreille.

— Clara, j'ai quelque chose à te dire.

Il prend mon visage entre ses deux mains et plonge ses yeux verts dans les miens. Je sens mon cœur chavirer une fois de plus.

— Tu me fais tripper, Clara Destroismaisons-Parenteau. Depuis longtemps, en plus de ça. Mais surtout depuis qu'on s'est parlé dans le local de la radio étudiante, depuis qu'on a dîné ensemble, l'autre midi, depuis hier soir aussi, depuis ce soir, quand je t'ai vue arriver... Criss, je capote ! T'es tellement belle, t'es tellement pas comme les autres filles...

J'aime ce que j'entends mais, en même temps, je ne sais pas si je suis prête à assumer tout ce que ça représente. Je suis dans les toilettes de l'école secondaire Cœur-Vaillant en train de recevoir la déclaration d'amour d'un garçon que je méprisais il y a à peine quelques jours. Pourtant, ce gars-là, quand je l'ai vu ce soir, je l'ai trouvé attirant. Hier encore, j'étais amoureuse de Thibaud Desjardins et c'est dans ses bras à lui que j'aurais aimé me retrouver, mais, là, je suis dans ceux de mon ex-ennemi. J'ai les émotions à fleur de peau. Qu'est-ce que je dois faire?

— François, je…

Impossible pour moi de répliquer. Sa bouche se pose sur la mienne.

* * *

C'est la première fois qu'on m'embrasse comme ça. En fait, c'est la première fois que je me laisse embrasser. Et ça me soûle. Ce n'est plus l'effet du vin qui me fait chavirer : c'est la bouche de François! Sa main glisse sous mon débardeur et, délicatement, il me caresse le dos. Je perds tout mon sang-froid : François a tellement bon goût, il sent tellement bon, il embrasse tellement bien…

Du bout des lèvres, il embrasse mes épaules…

Puis sa bouche remonte le long de mon cou…

Je frissonne.

Il serre mon corps contre le sien.

Longuement…

Et je l'étreins à mon tour.

* * *

La chemise de François est entièrement déboutonnée. Ma tête est appuyée contre son torse. J'effleure doucement sa peau du bout des doigts. Je n'ai jamais respiré un corps d'aussi près. La chaleur qui s'en dégage est un vrai analgésique : depuis que je suis dans ses bras, j'ai oublié tous mes tourments. Je suis dans le présent et pas ailleurs. C'est très apaisant.

— Alors, on fait quoi, maintenant ? me chuchote-t-il à l'oreille tout en caressant mes cheveux.

— On reste ici jusqu'à la fin de nos jours…

— On ne devrait pas plutôt aller rejoindre les autres ? L'animateur se fait attendre depuis un bon bout de temps déjà…

— T'as raison… Dom et Fred sont sûrement à ma recherche… Elles sont tellement mères poules avec moi !

— On se revoit un peu plus tard ? Tu veux bien ?

Il me regarde, ses yeux sont emplis de désir. Je baisse le regard, embarrassée. Je ne sais pas quoi répondre.

— Ça va trop vite, c'est ça ? me demande-t-il tout bas.

— Euh… oui. Peut-être. Je suis pas certaine…

Il éclate d'un grand rire sonore.

— T'en fais pas, ma poulette, je t'aurai bien à l'usure !

Je retrouve peu à peu mes esprits.

— Si tu m'appelles encore une fois ta « poulette », tu n'auras plus jamais la chance d'approcher ta bouche de la mienne. Compris ?

— Message reçu !

Il me salue comme un soldat, la main sur le front. Avec son aide, je reprends place dans mon fauteuil. Alors qu'il met le pied dans le corridor, il se tourne vers moi.

— Je suis fou, Clara… complètement fou de toi.

Je n'ai pas le temps de lui répondre. Il est déjà parti.

DIMANCHE 21 JUIN,
VERS 1H DU MATIN…

★ Dom et Fred me regardent, éberluées.

— Tu veux quoi ?

— Je veux simplement savoir si François peut venir avec nous au chalet.

— François ? François Janvier ?

— Oui.

Nous sommes toutes les trois dans le stationnement de l'école à attendre le père de Fred qui devrait arriver sous peu. Cette dernière me dévisage.

— Dom, je pense que Clara est cinglée.

— T'es pas un peu dure avec elle, Fred ?

Dom s'assoit sur le trottoir et enlève ses interminables bottes. Elle me regarde.

— T'es sûre de toi, Clara ? C'est ce que tu veux ? Tu veux que François vienne avec nous ?

— Je ne veux pas vous imposer sa présence. Si l'idée vous plaît pas…

— Mais tu le détestes, ce gars-là ! hurle Fred.

— Justement, Fred, je pense que Clara le déteste un peu moins qu'avant…

Dom semble comprendre ce qui se passe. Elle m'a vue revenir dans l'agora un peu plus tôt, après ma longue escapade aux toilettes. Elle a vu le trouble dans mes yeux… et mes cheveux ébouriffés ! Elle a vu les regards que m'a lancés François tout le reste de la soirée. Ah ! ma belle, ma sage Dom. Comme j'aime ta perspicacité !

— Vous avez fait la paix ? Quand ça ? demande Fred abruptement.

— Il y a quelques jours…

— T'étais pas amoureuse de Thibaud, toi ?

— Oui, mais tu vois, je pense que mes chances ne sont plus très bonnes…

Fred rougit.

— Bon… oui… euh… alors tu te jettes sur le premier venu ? T'es capable de passer d'un gars à l'autre sans problème ?

— Fred ! s'exclame Dom. Tu dérailles, là ! Tu dérailles complètement !

La conversation tourne au vinaigre. Je n'aime pas ça.

— Oh ! et puis, merde, Dom, laisse tomber ! Fred a raison. Je ne sais même pas si c'est ce que je veux vraiment.

Le père de Fred choisit ce moment pour arriver. Je m'éloigne de mes amies qui échangent quelques mots à voix basse.

— Bon, restez ici. Moi, je vais chercher Thibaud et Jules à l'intérieur.

— Attends, Clara ! crie Fred en courant vers moi. Tu peux inviter François.

— Mais y a deux minutes, tu disais que…

— Clara Destroismaisons-Parenteau, tais-toi et fais ce que je dis.

Fred me parle sur un ton qui n'invite pas à la discussion. Il y a du Dom dans l'air…

* * *

Il doit être six ou sept heures du matin. Le lac est recouvert de brume. Il fait un peu frais sur le quai et j'ai le bout du nez froid, mais je suis lovée dans les bras de François ; nous sommes tous les deux couchés dans un immense sac de couchage et ça tient mon corps et mon cœur bien au chaud.

François s'est endormi il y a quelques minutes. Moi, je n'ai pas fermé l'œil de la nuit. Lorsque nous sommes arrivés un peu plus tôt, nous avons eu droit à un concert de grenouilles et de huards. L'orage était passé depuis longtemps et le ciel était bourré d'étoiles. Avec la pleine lune qui se reflétait dans l'eau, c'était féerique. Juliette nous a préparé quelques trucs à manger et Armand a allumé un immense feu sur lequel nous avons fait cuire des saucisses. Jules a sorti sa guitare et nous avons chanté et rigolé une bonne partie de la nuit. Vers quatre heures du matin, Fred et Thibaud sont allés s'étendre sur la grosse chaise longue, tout près de la plage. De l'endroit où nous étions, nous pouvions les entendre murmurer et rire. Dom, Jules, François et moi, nous sommes restés éveillés encore un peu. Quand les dernières braises se sont éteintes, Jules est allé se coucher dans la Westphalia et Dom est rentrée dans le chalet. François a installé sur le quai un matelas pneumatique, des oreillers et un gros sac de couchage dans lequel il m'a aidée à me glisser.

— T'as froid?

François vient d'ouvrir les yeux.

— Tu dors pas, toi?

— J'y arrive pas.

Il se soulève sur un coude.

— Et je pense que c'est en partie ta faute.

— Ah oui?

— Si t'étais pas si belle aussi, j'arriverais peut-être à m'endormir.

Il se penche vers moi pour m'embrasser. Après de longues minutes, il relève la tête.

— Tu sais, me dit-il, j'ai toujours pris un malin plaisir à t'agacer. Je voyais pas comment j'aurais pu t'approcher autrement. Je pense que je craque pour toi depuis la première fois que tu m'as bloqué le chemin avec ton bolide.

— Alors, pourquoi tu ne m'as pas déclarrrrré ton amour avant?

Mon roulement de « r » le fait rigoler.

— Tu m'impressionnais avec ton assurance. Ton handicap m'impressionnait aussi.

— Je sais… Y a certaines personnes que ça met mal à l'aise.

— La seule chose que je trouvais de bon à faire, c'était de te lancer des vacheries pour te faire sortir de tes gonds.

— Tu parles d'une façon d'aborder les gens!

— Mais t'es tellement belle quand tu te fâches, Clara.

— T'es sérieux, là ? Tout ce temps-là, tu m'as écœurée parce que tu trippais sur moi ?

— T'as tellement confiance en toi, Clara. Tu sais pas combien de fois j'ai voulu te le dire, mais, chaque fois que je me trouvais devant toi, je voyais dans tes yeux ton petit air de défi et je me disais : « Cette fille-là, elle me laissera jamais ma chance. »

Je suis estomaquée par ce qu'il me raconte. Mais je suis flattée aussi. C'est la plus belle chose, mais également la plus amusante qu'il m'ait dite de toute la soirée. Moi, Clara Destroismaisons-Parenteau, je transpire l'assurance et je faisais peur à ce grand dadais de François Janvier !

— Pourquoi tu m'as finalement approchée ?

— Quand ma sœur a eu son accident, j'étais dérouté. Je me suis dit que la seule personne qui pouvait m'aider, c'était toi. C'est pour ça que je suis allé vers toi. J'avais tellement de peine que j'avais plus rien à perdre. Tu ne pouvais pas me faire plus mal, j'étais déjà sur le cul…

Après ces aveux, François se tait. C'est à mon tour de parler. Je dois mettre les pendules à l'heure. Je lui raconte mon histoire d'amour ratée avec Thibaud et mes sentiments embrouillés des derniers jours. Je lui dis aussi à quel point les heures que je viens de passer avec lui ont été troublantes et que je ne suis pas indifférente à ce qu'il ressent pour moi. Mais je lui demande du temps. Du temps pour reprendre du poil de la bête et sonder mes sentiments.

— Tu prends tout le temps qu'il te faut, ma belle. Je suis un grand garçon très patient.

— Toi, un gars patient ?

— À partir d'aujourd'hui, quand il s'agira de toi, j'aurai toute la patience du monde.

Je risque vrrrrraiment un jour d'aimer ce garçon autant que je l'ai détesté.

* * *

C'est donc ici que commence un nouvel épisode de mon existence. Je sens bien en moi que certaines choses sont en train de changer. Je pense à mes parents, à la vie qu'ils m'ont donnée. Je pense à Grand-Théo et à ses éternels encouragements. Je pense à mes copines, Fred et Dom, qui me sont fidèles depuis si longtemps. Je pense à mes études secondaires terminées et à celles que je vais entreprendre l'an prochain. Je pense à Picasso, qui m'a toujours encouragée à créer. Je pense à Thibaud, que je n'aurai pas eu le plaisir d'aimer comme je l'aurais voulu. Je pense aussi à François (difficile de l'oublier, celui-là, puisqu'en ce moment il masse mes jambes anky-losées !) et, soudainement, surgit dans ma tête une image. Une image qui prendra la forme d'un tableau aussitôt que j'aurai retrouvé mes pinceaux. Je vois un corps. Un grand corps souverain qui se déploie dans l'infini. Et ce grand corps, c'est le mien.

Avant de me lancer dans la création d'une nou-velle toile, il faut cependant que je dorme. Et c'est au bord d'un lac paisible, dans la chaleur des bras de François, que je me laisse emporter par le sommeil… et par ma nouvelle vie.

★

Cet ouvrage a été composé en Fiona sérif 10/13,3
et achevé d'imprimer en mars 2009 sur les presses
de Imprimerie Lebonfon Inc., Val-d'Or, Canada.

certifié   procédé   100 % post-   archives   énergie
            sans chlore   consommation   permanentes   biogaz

Imprimé sur du papier 100 % postconsommation,
traité sans chlore, accrédité Éco-Logo et fait à partir de biogaz.